S0-AJI-760

Deseo®

MENTIRAS PERFECTAS

Lisa Jackson

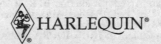

HARLEQUIN®

Editado por HARLEQUIN IBÉRICA, S.A.
Hermosilla, 21
28001 Madrid

© 2004 Susan Lisa Jackson. Todos los derechos reservados.
MENTIRAS PERFECTAS, Nº 1353 - 12.1.05
Título original: Best-kept Lies
Publicada originalmente por Silhouette® Books.

Todos los derechos están reservados incluidos los de reproducción,
total o parcial. Esta edición ha sido publicada con permiso de
Harlequin Enterprises II BV.
Todos los personajes de este libro son ficticios. Cualquier parecido
con alguna persona, viva o muerta, es pura coincidencia.
® Harlequin, logotipo Harlequin y Harlequin Deseo son marcas
registradas por Harlequin Books S.A.
® y ™ son marcas registradas por Harlequin Enterprises Limited y
sus filiales, utilizadas con licencia. Las marcas que lleven ® están
registradas en la Oficina Española de Patentes y Marcas y en otros
países.

I.S.B.N.: 84-671-2382-6
Depósito legal: B-47550-2004
Editor responsable: Luis Pugni
Composición: M.T. Color & Diseño, S.L.
C/. Colquide, 6 - portal 2-3º H, 28230 Las Rozas (Madrid)
Fotomecánica: PREIMPRESIÓN 2000
c/. Matilde Hernández, 34. 28019 Madrid
Impresión y encuadernación: LITOGRAFÍA ROSÉS, S.A.
c/. Energía, 11. 08850 Gavá (Barcelona)
Fecha impresion para Argentina:7.12.05
Distribuidor exclusivo para España: LOGISTA
Distribuidor para México: CODIPLYRSA
Distribuidores para Argentina: interior, BERTRAN, S.A.C. Vélez
Sársfield, 1950. Cap. Fed./ Buenos Aires y Gran Buenos Aires,
VACCARO SÁNCHEZ y Cía, S.A.
Distribuidor para Chile: DISTRIBUIDORA ALFA, S.A.

Prólogo

–Me muero, mi pequeña Randi, y no hay nada más que hablar.

Randi McCafferty detuvo en seco su apresurada bajada por las escaleras de madera de la casa en la que se había criado; un viejo rancho situado sobre una pequeña colina en medio de Montana, sobre el que repiqueteaban sus botas nuevas. Inmersa como iba en sus propios pensamientos no había reparado en que su padre estaba sentado en su sillón, la mirada fija en el techo ennegrecido de la chimenea del salón. John Randall McCafferty seguía siendo un hombre corpulento aunque el tiempo había rebajado su estatura, antaño imponente, y su extrema apostura.

–¿Qué estás diciendo? –preguntó ella–. Tú vas a vivir para siempre.

–Nadie vive para siempre –contestó él levantando la vista hacia ella–. Sólo quiero que sepas que para ti será la mitad de esto. Los chicos tendrán que pelear por el resto. El Orgullo de Montana será tuyo. Pronto.

–No quiero que hables así –dijo ella entrando en la habitación en penumbra. Miró hacia la ventana polvorienta, el porche al otro lado y tras éste el vasto terreno que rodeaba el rancho. El ganado y los caballos pastaban en los campos más allá de los establos y la cuadra, sin descanso.

–Tendrás que aceptarlo. Ven aquí. Vamos, vamos, sabes que ladro mucho pero no muerdo.

–Claro que lo sé –contestó ella. Nunca había visto el lado malo del temperamento de su padre aunque sus hermanastros se habían tenido que enfrentar a ello una y otra vez.

–Sólo quiero mirarte. Mi vista no es tan buena como antes –dijo el hombre riendo entre dientes y tosiendo a continuación con tal virulencia que se podía oír cómo retumbaba en sus pulmones.

–Papá, creo que debería llamar a Matt. Deberías estar en el hospital.

–No –respondió él gesticulando con su huesuda mano al verla cruzar la habitación–. Ningún maldito doctor podrá curarme.

–Pero…

–No me repliques. Por una vez en tu vida quiero que me escuches –la interrumpió el anciano mirándola con unos ojos increíblemente claros al tiempo que ponía un sobre amarillo en la mano de la joven–. Aquí está mi testamento. A Thorne, Matt y Slade les corresponde la otra mitad del rancho y debería resultarles interesante –el hombre emitió un risa malvada–. Seguro que se pelearán por ella como pumas sobre una presa… pero tú no tendrás que preocuparte. A ti te corresponde la parte del león –sonrió ante su propia broma–. A ti y a tu bebé.

–¿Mi qué? –dijo ella sin mover un músculo.

–Mi nieto. Estás embarazada, ¿no es cierto? –preguntó entornando los ojos.

La joven sintió cómo se ruborizaba. No le había dicho a nadie lo de su embarazo. Nadie lo sabía excepto su padre, al parecer.

–Sabes –continuó el hombre–, me hubiera gustado que te casaras antes de quedarte embarazada,

4

pero esto ya está hecho y yo no estaré aquí lo suficiente para ver a mi chico. Sin embargo, dejaré las cosas arregladas para que no os falte nada a ninguno de los dos. El rancho será testigo.

–No necesito que nadie me cuide.

–Yo creo que sí, Randi –dijo su padre, la sonrisa se había evaporado de su rostro–. Alguien tiene que cuidar de ti.

–Yo puedo cuidarme sola… y también a mi bebé. Tengo una casa en Seattle, un buen trabajo y…

–Y ningún hombre, al menos ninguno que merezca la pena. ¿Vas a decirme quién es el miserable que te ha dejado embarazada?

–Ya hemos hablado de esto muchas veces…

–Todo niño tiene derecho a saber quién es su padre –respondió el hombre–. Incluso si el tipo es un miserable bastardo que deja embarazada a una mujer y la abandona.

–Si tú lo dices –replicó ella apretando el sobre entre los dedos. Notaba que había algo más que papel en su interior. Como si hubiera adivinado su desconcierto, su padre no tardó en explicárselo.

–También hay una cadena dentro. Un relicario, en realidad. Era de tu madre.

Randi notó que se le hacía un nudo en la garganta. Recordaba cómo jugaba con aquel relicario cuando era niña, una pieza de oro reluciente salpicada de pequeños diamantes que colgaba del cuello de su madre.

–Lo recuerdo. Se lo regalaste el día de vuestra boda.

–Así es –dijo él asintiendo con gesto rápido, sus ojos tornándose de pronto más suaves–. El anillo está también en el sobre, si lo quieres.

–Gracias –dijo ella con los ojos húmedos.

—Me sentiré agradecido si me dices el nombre del bastardo que te ha hecho esto.

Por toda respuesta, la chica levantó la barbilla con gesto terco y frunció el ceño.

—No vas a decírmelo, ¿verdad?

Randi miró a su padre a los ojos.

—El infierno tendrá que congelarse antes.

—Maldita sea, niña, eres una cabezota.

—Creo que sé de quién lo he heredado.

—Y será tu perdición, escucha bien lo que te digo.

Randi notó que el frío de una premonición se asentaba en su interior pero no se arredró. Cerró los labios para proteger a su futuro hijo. Nadie sabría nunca quién era el padre de su bebé. Ni siquiera su propio hijo.

Capítulo Uno

–¡Mierda! –gruñó Kurt Striker entre dientes.

No le gustaba el trabajo que se le presentaba a la vista, ni lo más mínimo, pero no podía rechazarlo y no sólo por la jugosa cantidad que le iban a pagar. El dinero era muy tentador. Podría utilizar veinticinco de los grandes, ¿por qué no? Un cheque por la mitad de la suma final estaba sobre la mesa. No lo había tocado.

Era por su secreto.

Estaba en el salón ante la chimenea dejando que el fuego le calentara las piernas, viendo a través de las ventanas la tierra cubierta de nieve.

–¿Qué me dices entonces, Striker? –preguntó Thorne McCafferty. El mayor de los tres hermanos, hombre de negocios por naturaleza, siempre se ocupaba de todo–. ¿Hacemos un trato? ¿Te encargarás de proteger a nuestra hermana?

El trabajo era complicado. Striker tenía que convertirse en el guardaespaldas personal de Randi McCafferty tanto si a ésta le gustaba como si no. Y sería más bien lo segundo. Kurt pondría la mano en el fuego. Había pasado suficiente tiempo con la única hija del difunto John Randall McCafferty para saber que cuando tomaba una decisión, nadie podía hacer que cambiara de opinión, ni él, ni ninguno de sus tres hermanastros que, de pronto, parecían sentirse responsables de su testaruda hermana.

Aquella mujer era un problema, de eso no había duda. La forma en que había salido de estampida de allí mismo unas pocas horas antes le decían que ya había tomado su decisión. Regresaba a Seattle con su hijo, a su casa, a su trabajo, a su antigua vida, sin importarle las consecuencias.

Había salido huyendo de allí, de sus tres autoritarios hermanos, y de él.

A Striker no le gustaba la situación nada, pero tampoco podía confiar en aquellos tres hombres, ¿o sí? Los miraba a los tres, pero sin examinar con excesiva minuciosidad sus propias emociones porque no quería admitir que estaba dudando en aceptar un trabajo por el simple hecho de que no quería verse implicado con una mujer. Con ninguna, especialmente con la hermana de aquellos tres hermanos superprotectores.

«Demasiado tarde para ello, ¿no crees?»

Randi era una mujer muy atractiva. Apasionada y temperamental. Una mujer fuerte que se abriría paso en la vida para hacer aquello que quisiera hacer, igual que todos los hijos de John Randall McCafferty. No le iba a gustar nada tenerlo a él merodeando en su vida, aunque fuera para protegerla. De hecho, lo más probable era que se sintiera ofendida. Especialmente en ese momento.

–A Randi no le va a gustar –dijo Slade, el más pequeño de los hermanos McCafferty, dando voz a los pensamientos de Striker, aunque no sabía la mitad del asunto. Se acercó a la ventana y observó el paisaje de Montana fustigado por el viento. La nieve cubría los campos donde unas cuantas cabezas de ganado y algunos caballos se apiñaban en un intento por protegerse del frío.

–Claro que no le gustará. ¿A quién le gustaría? –intervino Matt, el hermano mediano, que estaba sentado sobre el sillón de cuero con los pies apoyados sobre la mesa, a escasos centímetros del cheque por doce mil quinientos dólares–. A mí me fastidiaría mucho.

–No tiene opción –dijo Thorne. Como presidente de su propia empresa, estaba acostumbrado a dar órdenes y que sus empleados le obedecieran. Acababa de mudarse a Grand Hope, Montana, procedente de Denver, pero seguía ocupándose de todo–. Ya lo habíamos decidido, ¿no os acordáis? –dijo mientras se acercaba a su hermano pequeño–. Necesita un guardaespaldas que vele por su propia seguridad y la de su hijo.

–Sí, lo acordamos –convino Matt–. Pero eso no hará que Randi lo acepte. Aunque Kelly esté involucrada.

Kelly era la mujer de Matt, una ex policía convertida en investigador privado. Había aceptado trabajar con Striker en el caso porque se trataba de su cuñada. De pelo rojo y mente ágil, Kelly sería de gran ayuda, pero Striker no acababa de creer que Kelly McCafferty bastara para aplacar a Randi. No, involucrar a un miembro de la familia no haría sino empeorar las cosas.

Miró hacia la ventana donde estaba el menor de los hermanos, el amigo que lo había metido en aquel lío, pero Slade no quería mirarlo a los ojos, sólo miraba a través de los cristales congelados.

–Vamos a ver, tenemos trabajo que hacer y no hay tiempo que perder. Alguien intenta asesinarla –señaló Thorne.

Striker tensó la mandíbula. Aquello no era ninguna broma y en el fondo sabía que aceptaría el trabajo; no podía confiar en nadie más para que lo hiciera. Y es que, por muy testaruda que fuera Randi McCafferty, había algo en ella, un brillo en sus ojos marrones que lograba atravesarle la piel misma hasta llegar a su corazón. Le había llamado la atención y no dejaría que se le escapara.

La noche anterior le había dado la prueba que necesitaba.

Thorne estaba agitado, la preocupación se hacía evidente en su rostro mientras jugueteaba nervioso con las llaves dentro del bolsillo. Miró de golpe a Striker.

–¿Aceptarás el trabajo o tendremos que buscar a otro?

La idea de que otro hombre estuviera tan cerca de Randi le provocó acidez en el estómago, pero antes de que pudiera decir nada, Slade tomó la palabra.

–No podemos confiar en nadie más.

–Amén –convino Matt justo antes de que su hermano volviera a mirar hacia la ventana a través de la que vio un Jeep que se acercaba por el camino. Estaba apretando tanto los dientes que le dolían.

–Parece que Nicole está en casa.

La tensión en los rasgos de Thorne se suavizó un poco. En unos minutos la puerta principal se abrió y el aire frío de Montana se coló en la habitación. La doctora Nicole McCafferty cruzó la habitación, sacudiéndose aún la nieve del abrigo, y al momento el tamborileo de pequeños pies se oyó en el piso superior: las dos hijastras de Thorne, dos gemelas de cuatro años, bajaron las escaleras como una exhalación, invadiendo de risas y gritos la habitación.

–Mami, mami –chilló Molly mientras su hermana Mindy, mucho más tímida, la miraba con el rostro iluminado, y se tiraron a los brazos de Nicole.

–¿Cómo están mis niñas? –preguntó Nicole abrazando a las dos pequeñas y dándoles sendos besos en las mejillas.

—¡Estás fría! —dijo Molly.

—Como un helado —dijo Nicole riendo.

Thorne, que cojeaba ligeramente tras un pequeño accidente, se abrió paso hasta la entrada de la casa y besó a su mujer mientras las niñas no dejaban de reír a su alrededor.

Striker se giró. Sentía que se estaba entrometiendo en una escena íntima. Era la misma incómoda sensación que lo invadió en el momento justo en que Slade se puso en contacto con él para pedirle que los ayudara y también la primera vez que puso los pies en el rancho. Había sido en octubre cuando el coche de Randi McCafferty se salió de la carretera en Glacier Park. El parto se le adelantó y tanto ella como su bebé estuvieron a punto de morir. Había estado en coma un tiempo y cuando por fin despertó se dieron cuenta de que sufría amnesia.

O eso decía ella.

Striker pensó que la pérdida de memoria le resultaba muy conveniente a Randi, a pesar de que su médico afirmaba que se trataba de amnesia. Striker encontró pruebas de que otro vehículo había perseguido el Jeep de Randi por una colina muy empinada hasta que finalmente ésta se empotró contra un árbol. Había sobrevivido y aunque se había recobrado y recuperado la memoria no decía nada del accidente ni de si sospechaba de alguien que quisiera matarla. No incriminaba a nadie, bien porque no tenía idea ciertamente o porque no quería delatar a nadie. Lo mismo que con el padre de su hijo Joshua. Kurt frunció el ceño. No quería imaginarse a otro hombre intimando con Randi, aunque era una completa estupidez. Él no tenía ningún derecho sobre ella, ni siquiera estaba seguro de que le gustara.

«Entonces deberías haberla dejado ir anoche

cuando la viste desde el rellano de la escalera con su pequeño y esperaste hasta que lo hubo metido en la cama…»

Kurt recordó cómo la vio sentada en la repisa interior de la ventana, tarareando suavemente, vestida sólo con camisón mientras amamantaba a su bebé. La estuvo observando desde el rellano de la escalera, viendo cómo la luz de la luna la iluminaba como a una madonna con su hijo. Había sido una imagen espiritual, aunque muy sensual, y él se quedó esperando entre las sombras. Su idea era bajar las escaleras sin ser visto, pero en ese momento una tabla del suelo crujió y Randi alzó la vista y lo vio apoyado en la barandilla.

–Vamos a la cocina a ver qué nos ha preparado Juanita –estaba diciendo Nicole y Kurt volvió al presente de golpe–. Huele muy bien.

–¡Can-de-la! –dijo Mindy poniendo los ojos en blanco.

–Ca-ne-la –corrigió Molly.

–¿Vamos a verlo? –dijo Nicole empujando a las niñas por el pasillo hacia la cocina mientras Thorne regresaba al salón.

–¿Entonces qué dices Striker? ¿Aceptas o no? –dijo Thorne una vez en el salón, la sonrisa que había dedicado a su mujer y sus hijas se había desvanecido. Volvía a ser el hombre de negocios.

–Es un montón de dinero –le recordó Matt.

–Mira, Striker, cuento contigo –dijo de pronto Slade alejándose de la ventana, la preocupación visible en sus ojos–. Alguien quiere matar a Randi. Les dije a Thorne y a Matt que si había alguien capaz de averiguar de quién se trataba, eras tú. ¿Les demostrarás que tenía razón o no?

Con un poco de culpa Kurt metió el cheque en su gastada cartera de cuero. No tenía ningún sentido discutir. No podía dejar que Randi McCafferty se enfrentara sola con su hijo a la persona que quería acabar con su vida, de la misma manera que no podía dejar de respirar.

–¡Estupendo! –Randi no llevaba recorridos más de sesenta y cinco kilómetros cuando su Jeep nuevo empezó a hacer ruidos extraños. Se bajó del coche para comprobar qué ocurría y vio que la rueda izquierda estaba baja y no lo estaba cuando salió del rancho. Hacía apenas un kilómetro y medio que había pasado por una gasolinera así que decidió volver y descubrió que estaba cerrada. De forma permanente.

Hasta el momento, su viaje de vuelta a la civilización no estaba transcurriendo como ella había planeado, aunque tampoco podía decirse que tuviera un plan. Ése era precisamente el problema. Desde el primer momento había sabido que quería regresar a Seattle, lo antes posible, pero la noche anterior con Kurt… A la mañana siguiente al despertar había decidido que no podía esperar ni un minuto más.

Sus hermanos estaban todos casados y ella volvía a ser, de nuevo, la que no tenía pareja, además de ser la razón por la que todos ellos estaban en peligro. Tenía que hacer algo.

«Pero te estás engañando a ti misma. El verdadero motivo por el que te has marchado tan rápidamente no tiene nada que ver con tus hermanos ni el peligro que corren, sino con Kurt Striker».

Echó un vistazo al retrovisor y vio el dolor reflejado en sus ojos. No se le daba bien hacer de mártir. Nunca se le había dado bien.

Tendría que cambiar la rueda ella sola lo que no sería un problema. Había aprendido mecánica cuando vivía en el rancho. Afortunadamente estaba fuera de la carretera y relativamente protegida del viento bajo el techado de la vieja gasolinera.

Encontró rápidamente la razón del pinchazo. Aparentemente había sido un clavo el que había hecho que la rueda fuera perdiendo el aire poco a poco.

Por un momento pensó que no hubiera sido un accidente, sino que el mismo que la hizo salirse de la carretera en Glacier Park, y volvió a intentar matarla en el hospital y más tarde incendió el establo pudiera ser el culpable del pinchazo también.

El viento helado azotaba la carretera levantando la nieve que le golpeaba la cara. De pronto una cuchillada de temor le recorrió la espalda y alzó la vista hacia el inhóspito paisaje.

Pero no vio a nadie, ni oyó nada. Pensó que se estaba volviendo paranoica y no era bueno.

Encorvado bajo la lluvia, el intruso metió la llave en la cerradura y con sorprendente facilidad entró en el piso que Randi McCafferty tenía junto al lago Washington.

Era una zona cara de casas unifamiliares. No podía ser menos para la princesa. En el interior, la vivienda parecía desordenada y sucia. El polvo se había acumulado en la superficie del pequeño escritorio y las telarañas colgaban del techo. Las revistas de los últimos tres meses estaban sobre la mesa y el contenido del frigorífico hacía semanas que se había podrido. Fotos y cuadros decoraban las paredes pintadas de un color crema y una mezcla ecléctica de muebles modernos y antiguos llenaban el salón alrededor de una chimenea en la que las cenizas estaban frías.

Randi McCafferty hacía mucho tiempo que no vivía en aquella casa.

Pero estaba de camino.

Sin hacer ruido, el intruso recorrió las habitaciones a oscuras que se alineaban a lo largo del pasillo hasta llegar al dormitorio principal con cuarto de baño incluido y cama de dos metros. Había un segundo cuarto de baño, y una habitación para un bebé, no muy decorada, pero suficiente para el pequeño McCafferty. El bastardo.

De nuevo en el salón, se acercó al escritorio sobre el que reposaba una fotografía, tomada años atrás, de los tres hermanos McCafferty: tres hombres altos, robustos y engreídos, dueños de una sonrisa irresistible para las mujeres, y de un temperamento que los había metido en más peleas de bar de las que podían contarse. Iban montados a caballo y delante de los tres, descalza, vestida con unos vaqueros cortos y camisa sin mangas, el pelo peinado con dos trenzas, estaba Randi. Tenía la cabeza ladeada y los ojos entornados por el sol del que se protegía poniéndose una mano sobre la frente, mientras sostenía en la otra mano las riendas de los tres caballos como si ya entonces supiera que ella sería la que conduciría la vida de sus tres hermanos.

La muy zorra.

Molesto, el intruso retiró la vista de la fotografía y conectó el contestador automático, sintiendo una ligera satisfacción al tocar algo de la princesa. Pero fue un sentimiento fugaz, frío como las cenizas de la chimenea.

Mientras escuchaba el único mensaje se dio cuenta de que sólo se podía hacer una cosa para arreglar las cosas: Randi McCafferty tenía que pagar, y lo haría con su vida.

Capítulo Dos

Menos de dos horas después de su conversación con los hermanos McCafferty, Striker se encontraba a bordo de un avión privado en dirección al oeste; un amigo que le debía un favor se lo había prestado. Había tenido tiempo para consultar con un colaborador en el caso que ya estaba investigando el pasado de Randi. Eric Brown era un ex militar y había pasado un tiempo también trabajando para el FBI antes de hacerse investigador privado. Brown seguiría la pista de Randi entre los papeles y mientras Striker la vigilaría de cerca.

Striker miraba a través de los gruesos cristales, escuchando el rugido de los motores, y pensó en Randi McCafferty. En lo hermosa, inteligente y sexy que era.

Se preguntaba quién querría verla muerta y por qué. Tal vez fuera por su hijo, o por el libro que estaba escribiendo, o tal vez se debiera a otro secreto que no quería que sus hermanos conocieran.

Era una mujer intrigante e irascible con fuego en los ojos de color marrón y un aguzado sentido del humor, capaz de mantener a raya a sus tres hermanos.

Era cierto que tanto Thorne, como Matt y Slade podían haberle guardado rencor a su hermana: después de todo ellos habían terminado compartiendo la mitad del rancho mientras que Randi, la única hija de John Randall McCafferty, había heredado la otra mitad. Aunque la gente de Grand Hope pensara de otra forma, él sabía que las intenciones de los tres hombres eran buenas. ¿Acaso no lo habían contratado para que protegiese la vida de su adorada hermanastra? No, ellos quedaban fuera de toda sospecha.

Masticó un palillo de los dientes pensativo, observando con el ceño fruncido las nubes que se veían por la ventana. Los motivos de la mayoría de los asesinos eran los celos, la sed de venganza y el ansia de poder. A veces, la víctima moría porque suponía una amenaza para el asesino y otras para ocultar otros crímenes.

Lo que lo llevaba de nuevo a su pregunta: por qué alguien quería matar a Randi. Tal vez por su herencia o por su hijo o por una relación amorosa que había acabado mal. Se preguntaba si tal vez habría estafado a alguien o si sabría demasiado de algún asunto oscuro. Eran todos motivos inconexos. Se rascó la cara pensativo.

Dos misterios rodeaban a la mujer. El primero era la paternidad de su hijo, un secreto celosamente guardado. El segundo era el libro que estaba escribiendo cuando tuvo el accidente.

Ni sus hermanos ni otras personas cercanas a Randi parecían conocer la identidad del padre de su hijo. Striker se preguntaba si estaría protegiendo al hombre de algo o simplemente no quería que éste supiera que tenía un hijo. Pensó que no le resultaría muy difícil averiguar quién era el padre del pequeño Joshua. De momento ya conocía su tipo de sangre; lo había averiguado en el hospital, y también se las había ingeniado para conseguir unos cabellos del pequeño en caso de que necesitara contrastar su ADN.

Tres hombres habían tenido una relación cer-

17

cana con Randi, lo suficiente para haber sido amantes, aunque aún no había averiguado si había mantenido relaciones con ellos. La sola idea le revolvía el estómago. Sintió un latigazo de celos y era totalmente ridículo. No se permitiría involucrarse con Randi McCafferty, ni siquiera después de lo ocurrido la noche anterior. Era una cliente, aunque ella no lo supiera aún. Y cuando lo averiguara, estaba seguro de que se la llevarían los demonios. No, Randi McCafferty no se tomaría bien las intenciones de sus hermanos de protegerla.

Golpeó el cristal con los dedos preguntándose quién habría calentado la cama de Randi y le habría hecho un hijo. Pensar en los candidatos principales le ponía de mal genio.

Sam Donahue, un ex vaquero de rodeo, encabezaba la lista. Kurt no confiaba en el vaquero tosco que tenía más mujeres en su haber que botas en su armario. Sam siempre había sido un bribón al que ninguno de los hermanos había podido tragar nunca, un imbécil que ya había dejado dos ex mujeres sin nada.

Joe Paterno era un fotógrafo freelance que a veces hacía trabajos para el periódico *Seattle Clarion*. Era un playboy de la peor calaña, de los que amaban a las mujeres abandonándolas al minuto siguiente, un hombre que se había relacionado con mujeres por todo el mundo, especialmente en los puntos neurálgicos políticamente hablando donde se encontraba trabajando. No se adaptaba al modelo de hombre que sienta la cabeza para formar una familia.

Brodie Clanton, un abogado de Seattle que había nacido con un gran pan debajo del brazo ya que era nieto del juez Nelson Clanton, uno de los más prestigiosos juristas de todo Seattle. Brodie

Clanton miraba la vida como si le debiera algo y pasaba la mayor parte de su tiempo defendiendo a clientes ricos.

Ninguno de los tres era una elección inteligente. ¿En qué demonios estaría pensando Randi? Ninguno de esos tipos merecía la pena y ella había tenido una relación con cada uno de ellos. Para una periodista que escribe una columna para solteros, era un récord bastante malo.

«¿Y qué me dices de ti? ¿Encajarías mejor?»

Striker se maldijo por pensar algo así en ese momento. No podía dejar que lo ocurrido la noche anterior le nublara el juicio. Aunque averiguara quién era el padre del niño, no sería más que el principio. Sólo demostraría que Randi había dormido con él, no que quisiera matarla.

Cualquiera podría ser. Un compañero de trabajo celoso, alguien con quien hubiera tenido una discusión, un loco obsesionado con ella, un antiguo rival, cualquiera. Jugueteó con el palillo entre los dientes mientras el avión comenzaba a descender hacia el pequeño aeropuerto del sur de Tacoma.

La diversión no había hecho sino comenzar.

La lluvia caía sin cesar y rebotaba en el techo de su nuevo Jeep. Randi McCafferty pisó el acelerador y tomó una curva demasiado rápido haciendo que las ruedas chirriaran por encima de la música de jazz que iba escuchando. Había sido un camino odioso desde Montana, con unas condiciones atmosféricas peores de lo que había imaginado. Le estaba empezando a doler la cabeza lo que le recordó que no hacía mucho del accidente que estuvo a punto de quitarle la vida y le robó la memoria durante un tiempo. Se miró en el retrovisor: al menos el pelo estaba volviendo a crecerle. Habían tenido que raparle la cabeza para poder operarla y ya tenía algo de pelo. Por un momento deseó estar en Grand Hope con sus hermanos.

Dio al intermitente y cambió de carril antes de detenerse en un semáforo en rojo. Por mucho que quisiera no podía ocultarse para siempre. Era el momento de hacer algo. Recuperar su vida, en Seattle, no en un rancho en Montana con sus autoritarios hermanos.

Sintió, sin embargo, un momento de pánico. Se había acostumbrado a la seguridad del rancho con sus tres fuertes hermanos velando por ella y su bebé.

Pero ya no podía ser así.

«Tú eres la culpable, Randi de que tu familia esté en peligro y ahora Kurt Striker complica aún más las cosas. ¿Qué te pasa? Anoche… ¿recuerdas lo que ocurrió? Lo pillaste mirándote desde el rellano, sentiste el calor que se había ido creando entre vosotros en las últimas semanas, ¿y qué hiciste? ¿Te pusiste la bata y cerraste la puerta como habría sido lo más adecuado? No, claro que no. Metiste a tu bebé en la cuna y seguiste a Striker, lo alcanzaste y…»

Otro conductor tocó el claxon y Randi se dio cuenta de que el semáforo ya estaba en verde. Apretó los dientes y ocultó aquellos pensamientos eróticos de Kurt Striker en el fondo de su memoria. Tenía otras cosas más importantes en qué pensar.

Su hijo estaba a salvo, al menos de momento. Ya lo estaba echando de menos. Lo había dejado en un lugar en el que nadie podría encontrarlo, pero sólo lo dejaría allí hasta que ella hiciera lo que tenía que hacer.

Le dolía el corazón de pensar en su pequeño y sintió que las lágrimas pugnaban por salir. Tampoco había tiempo para sentimentalismos. Continuó su camino hacia el lago Washington, mirando de cuando en cuando el retrovisor para comprobar que nadie la estaba siguiendo.

«Estás paranoica». Tomó la indicación hacia la zona residencial en que vivía, el viento de enero golpeando los árboles que rodeaban la calle. «Pero no por mucho tiempo». Randi salió del vehículo y tomó el bolso. Tenía muchas cosas que hacer. Miró por encima del hombro una vez más. No vio ninguna sombra sospechosa ocultándose, ni escuchó pasos sobre el asfalto inundado.

Subió los dos escalones que conducían a su casa, metió la llave y empujó con el hombro. En el interior, las habitaciones olían a cerrado. Había hojas secas del helecho en el suelo del vestíbulo, y el polvo cubría el alféizar de la ventana.

Aquello no parecía un hogar. Ya no. En realidad ningún lugar sería un hogar sin su pequeño. Cerró la puerta de una patada y entró en el salón. Vio entonces una sombra que se movió en el sofá y se detuvo en seco.

La adrenalina corría por su sistema sanguíneo y se le puso la piel de gallina. La boca seca como el desierto.

El asesino estaba esperándola.

Capítulo Tres

–Vaya, vaya, vaya –dijo el hombre en tono bur-
lón–. Mira quién ha llegado por fin.

Randi reconoció la voz al instante.

El hombre encendió la lámpara de la mesa y
Randi se encontró frente a la intensa y suspicaz mirada de Kurt Striker, el investigar privado que sus
hermanos habían contratado. El miedo dio lugar a
la rabia.

–¿Qué estás haciendo aquí?

–Esperar.

–¿A qué?

–A ti.

Randi encontraba su tono irritante. No aguan-
taba la actitud de superioridad que emanaba de
aquel hombre tumbado en su sofá de chenilla, sos-
teniendo entre los dedos de su enorme mano una
botella de cerveza. Parecía tan fuera de lugar con
sus vaqueros, botas y cazadora vaquera como un
puma en un certamen de gatos de pedigrí.

–¿Por qué? –preguntó Randi dejando el bolso
en la mesa de la entrada. No entró en el salón; no
quería estar demasiado cerca de él. La inquietaba.
Lo había hecho desde el primer momento que lo
vio cuando aún estaba recuperándose del accidente.

Por la constitución de su mandíbula cuadrada y
su testarudez, Striker encajaba en la versión holly-
woodiense del policía engreído. El indomable pelo

rubio le caía sobre los ojos, y parecía no haberse afeitado en varios días. Los ojos profundos e inteligentes resaltaban sobre los pómulos cincelados en su rostro, enmarcados por unas gruesas cejas y unas largas pestañas. Llevaba vaqueros desgastados y una cazadora Levi's también muy usada. Y luego estaba su actitud prepotente. Estirado en el sofá, recorrió con la mirada el cuerpo de Randi, lentamente.

–Te he hecho una pregunta.

–Estoy tratando de salvarte el pescuezo.

–Esto es allanamiento.

–Llama a la policía.

–No te pongas altanero conmigo –dijo Randi acercándose a las ventanas y abriendo las contraventanas. A través del cristal húmedo vio el lago aunque la densa niebla no dejaba ver la otra orilla. Cruzó los brazos sobre el pecho y miró a Striker de nuevo.

Éste le sonrió entonces. Una sonrisa rutilante y seductora que dejaba entrever el tono de burla en los ojos verdes. Por unas décimas de segundo pensó en las horas que habían pasado juntos, en el tacto de su piel, en sus manos… Si no fuera tan condenadamente entrometido hasta podría considerarlo guapo. Interesante. Sexy. Unas piernas largas, hombros anchos, estómago plano… Sí, guapo en conjunto para una mujer que estuviera buscando un hombre. Pero no era el caso de Randi. Había aprendido bien la lección. Lo ocurrido la noche anterior había sido un desliz y no volvería a ocurrir.

No podía volver a ocurrir.

–¿Sabes? –dijo él–, yo estaba pensando lo mismo. Dejemos a un lado la altanería y pongámonos a trabajar.

–¿A trabajar? –preguntó ella resentida. Necesitaba que se marchara de su casa y rápido. Aquel hombre tenía una curiosa habilidad para destruir su equilibrio.

–Eso es. Vayamos al grano.

–No creo que tengamos nada de lo que hablar.

Kurt le sostuvo la mirada durante una fracción de segundo y Randi supo que él recordaba la noche que habían pasado juntos tan bien como ella. Se aclaró la garganta antes de continuar.

–Randi, creo que deberíamos hablar de lo que ocurrió…

–¿Anoche? –preguntó ella–. Vale, pero no ahora. Tal vez nunca. Olvidémoslo.

–¿Tú puedes?

–No lo sé, pero te juro que voy a intentarlo.

Pero no lo convenció.

–De acuerdo, si es así como quieres hacerlo.

–Ya te he dicho que no tenemos nada de qué hablar.

–Claro que sí. Empieza por decirme quién es el padre de tu hijo.

–No creo que eso tenga importancia.

–Pues a mí me parece que sí, Randi –contestó él poniéndose de pie–. Han intentado acabar con tu vida dos veces. Primero el accidente que te hizo salirte de la carretera y después en el hospital. ¿Lo recuerdas, verdad?

Randi tragó con dificultad pero no contestó.

–Y no olvidemos el fuego en el establo del rancho. Fue provocado, Randi, ¿lo recuerdas? Casi mató a tus hermanos –continuó Striker. Randi sintió que el corazón se le encogía de dolor al recordarlo. Para su sorpresa, notó que las fuertes manos de Kurt la sujetaron con fuerza por los brazos–. ¿De verdad quieres seguir arriesgando tu vida, y la de tus hermanos incluso la de tu hijo? El pequeño J.R. casi murió de una infección en el hospital tras el accidente. Tuviste un parto prematuro en medio de ninguna parte y para cuando algún «buen samaritano» te vio y llamó a una ambulancia tu bebé casi no podía más.

Randi luchó por no derrumbarse. Deseaba que dejara de tocarla. Estaba demasiado cerca, aguantando su cólera y al tiempo la energía bruta y sexual que desprendían todos sus poros.

–No me moveré de aquí –continuó él–, ni un ápice hasta que tú y yo aclaremos las cosas; me quedaré aquí toda la noche si es necesario. Toda la semana. Todo el año.

Randi notaba cómo su estúpido corazón latía desbocado y aunque tratara de alejarse él no la dejaría. Las manos que la sujetaban eran como grilletes de hierro que se ceñían más y más a su carne.

–Empecemos con una pregunta importante –continuó Kurt–. Dime, Randi, ¿quién demonios es el padre de J. R.?

–Déjame –rogó ella consciente de la cercanía del hombre sin ánimo de ceder–. Y vete de mi casa.

–De eso nada.

–Llamaré a la policía.

–Adelante –dijo él señalando con la barbilla el teléfono que no había utilizado en meses. Yacía bajo el polvo en el pequeño escritorio que había en una esquina del salón–. Cuéntales todo lo que te ha ocurrido y entonces yo les explicaré qué estoy haciendo aquí.

–Nadie te dijo que vinieras.

–Tus hermanos están preocupados por ti.

–No pueden controlarme.

–¿De veras? Puede que no estén de acuerdo –dijo él alzando una ceja escéptica.

–Vaya cosa –contestó ella echando la cabeza a un lado intentando mostrarse dura. Lo cierto era que adoraba a sus tres hermanos, pero no podía aguantar que estuvieran pendientes de ella toda la vida. Y tampoco quería tener nada que ver con Kurt Striker. Era demasiado varonil y se lo había demostrado con creces la noche anterior–. Mira, Striker, ésta es mi vida. Puedo arreglármelas sola. Y ahora, si eres tan amable de quitarme las manos de encima –dijo con sarcasmo–, tengo muchas cosas que hacer.

Él la miró largo y tendido, como si su aguda mirada verde pudiera penetrar en ella. Finalmente la dejó libre.

–Puedo esperar.

–En otra parte.

–¿Me estás sugiriendo algo? –dijo él con una sonrisa maliciosa que hizo que el corazón de Randi se acelerara de nuevo.

–Uno alejado y amplio. Toma un taxi.

–Sólo si me enseñas la ciudad.

–¿Qué?

–Soy nuevo aquí. Necesito un guía.

–Para poder vigilarme.

–Eso también –dijo él con una sonrisa de lo más sexy.

–Olvídalo. Tengo un millón de cosas que hacer –dijo ella y a continuación levantó la mano y señaló el teléfono–. Es extraño –murmuró mirándolo–. Espera un minuto. ¿Has estado escuchando mis mensajes? –preguntó furiosa.

–Pues lo cierto es que no.

Randi fue hacia el escritorio y pulsó el botón de reproducción de mensajes del contestador.

–Es extraño –repitió mientras escuchaba la voz de Sarah Peeples:

«¿Cuándo vas a volver a trabajar? Es muy aburrido esto con tantos hombres –se rió con nerviosismo–. Bueno, tal vez no sea tan aburrido pero te echo de menos. Dale un beso a Joshua de mi parte». Y colgó.

Randi se mordió el labio inferior mientras su cabeza daba vueltas.

–¿Seguro que no lo has escuchado? –repitió.

–No.

–¿Entonces quién lo ha hecho?

–¿No has sido tú? –preguntó él entornando los ojos.

–No –dijo ella sintiendo el vello de punta. Si Striker no había escuchado sus mensajes, ¿quién lo habría hecho? Se le acentuó el dolor de cabeza. Tal vez fueran imaginaciones suyas. Estaba preocupada por su hijo, exasperada con el hombre que estaba junto a ella y muy cansada después del largo viaje y el poco tiempo que había dormido en las últimas cuarenta y ocho horas. Seguramente fuera sólo eso. Se acarició la sien y trató de pensar con claridad.

–Mira, Striker, no puedes entrar aquí sin llamar, tomar una cerveza y ponerte cómodo en mi sofá...

La expresión del hombre le decía que eso era exactamente lo que había hecho.

–Hasta el momento creo que has cometido una media docena de delitos: has forzado la cerradura, robado, allanado y quién sabe qué más. La policía lo encontraría interesante.

–¿Dónde está tu hijo? –preguntó él que no quería que le cambiaran de tema.

–Se llama Joshua.

–De acuerdo. ¿Dónde está Joshua?

–A salvo.

–No está a salvo en ningún sitio.

–Te equivocas –dijo ella notando el dolor en sus entrañas.

–Así que temes que alguien te esté siguiendo.

–Soy una madre. No voy a correr riesgos con él.

–Sólo contigo.

–Dejemos ese tema –dijo ella rebobinando la cinta del contestador.

–¿Está con tu prima Nora?

Los músculos de Randi se tensaron. ¿Qué había averiguado de Nora? Sus hermanos no la conocían porque era su prima por parte de madre.

–¿O tal vez con la tía Bonita, la hermanastra de tu madre?

Aquel hombre había hecho sus deberes. La cabeza estaba a punto de estallarle y le sudaban las palmas de las manos.

–No es asunto tuyo, Striker.

–¿Y qué me dices de tu amiga Sharon? –dijo Striker cruzando los brazos sobre el pecho–. Creo que he acertado.

Randi se quedó helada. ¿Cómo habría adivinado que iba a dejar a su niño con Sharon Okano? No se habían visto en nueve meses y aun así, Striker lo había adivinado.

–No te arriesgarías con un familiar, porque entonces lo habrías dejado en Montana, y tus colegas de trabajo están descartados porque podrían irse de la lengua, así que tenía que ser alguien en quien confiaras, pero no demasiado obvio para que no fuera fácil de averiguar.

Striker se acercó a Randi y le acarició el hombro. Ella respondió alejándose del contacto como si ardiera.

–Si yo puedo adivinar dónde lo has escondido, también podrá hacerlo el tipo que te está siguiendo.

–¿Cómo has encontrado a Sharon? –preguntó–. No me trago la teoría de la suerte.

Kurt se acercó a la mesa de centro y tomó la cerveza.

–No ha sido difícil, Randi.

–Pero…

–Incluso los teléfonos móviles dejan un rastro que se puede seguir.

–¿Has leído mi correo hasta dar con la factura de teléfono? ¿No es eso un delito federal, o no te importa? –preguntó Randi mirando a continuación en su escritorio y entonces se dio cuenta de que no podía haber leído su correo porque lo había dejado en la oficina de correos.

–No importa ahora cómo conseguí la información –dijo–. Lo que importa es que tu hijo y tú no estáis seguros. Tus hermanos me han contratado para que os proteja y, si te gusta como si no, eso es exactamente lo que voy a hacer –dijo él apurando de un golpe la cerveza–. Pelea conmigo todo lo que quieras, Randi, pero tengo la intención de pegarme a ti como si fuera cola. Puedes llamar a tus hermanos y quejarte y ellos no cederán. Puedes huir, pero te alcanzaré tan rápido que la cabeza te dará vueltas. Puedes llamar a la policía y todos juntos llegaremos hasta el fondo del asunto. Así de simple. Así que, puedes hacer las cosas fáciles para todos y decirme qué demonios está pasando o puedes hacerlo todo más difícil y entonces tardaremos más tiempo en averiguarlo –colocó la botella en el borde de la mesa y se enderezó, sosteniéndole la mirada a Randi con infernal intensidad–. Depende de ti.

–Fuera.

–Si es así como lo quieres… pero volveré.

–Fuera –repitió temblando de ira.

–Tienes una hora para pensar en ello –advirtió Striker dirigiéndose hacia la puerta–. Una hora y estaré de vuelta. Y si tenemos que hacerlo difícil, lo haremos difícil. Es tu elección, Randi, pero tal como yo lo veo, no tienes muchas opciones.

Salió y cerró la puerta tras de sí. Randi giró el cerrojo tratando de vencer la tentación de derrumbarse. No arreglaría nada derrumbándose. Le costaba admitirlo, pero Kurt Striker tenía razón en una cosa: no tenía muchas opciones. Era duro, pero no podía dejarse llevar y tomar la decisión errónea. Se jugaba demasiado.

Capítulo Cuatro

Kurt se sentó al volante de su coche alquilado, una furgoneta «pick-up» de color bronce. Conectó el ventilador para quitar el vaho que había empañado los cristales. Le daría a Randi una hora para que solucionara sus asuntos y de paso él podría enfriarse. Había algo en aquella mujer que se metía bajo la piel y lo ponía muy nervioso.

Desde la primera vez que la vio en el rancho había tenido la misma sensación: una especie de corriente desconocida fluía entre los dos siempre que se encontraban en la misma habitación. Era algo estúpido, realmente. Él no era de los que se dejaban atrapar por los encantos femeninos, y menos aún por los de una niña malcriada que tenía todo lo que podía desear.

Aunque era verdaderamente guapa. Al menos lo era después de que los moretones habían desaparecido y el pelo le había crecido. De hecho, era una preciosidad. Simple y llanamente. A pesar de su reciente embarazo, tenía un cuerpo esbelto, y unos pechos grandes que llamaban la atención, las caderas redondeadas y firmes. Tenía el pelo cobrizo, una pequeña nariz respingona, labios llenos y grandes ojos marrones. Estaba guapa incluso sin maquillaje. Inteligente y mordaz, le había dejado más que claro que no quería verlo a su lado. Kurt sabía que eso sería lo mejor para los dos, pero había algo que lo empujaba hacia ella y le hacía hervir la sangre.

«Olvídalo. Es tu cliente».

No técnicamente. Ella no había sido quien lo había contratado sino sus hermanos.

«Tienes que limitar esta relación al nivel profesional».

¿Relación? ¿Qué relación? ¡Pero si ella no podía soportar estar en la misma habitación que él!

«Vale. Ya has pasado por esto antes y nunca en la vida te había ocurrido lo de anoche».

Después de meter a Joshua en la cuna, Randi había bajado las escaleras y lo había encontrado en el salón iluminado tan sólo por las ascuas de la chimenea. Se había servido una copa y estaba bebiendo tranquilamente mientras miraba a través de los cristales helados los restos calcinados del establo.

–Me estabas observando –lo acusó, y él asintió sin girarse para mirarla–. ¿Por qué?

–No era mi intención.

–¡Mentira!

Kurt notó entonces que no iba a dejarlo en paz. Así que se preparó a jugar. Dio un sorbo y finalmente se giró y la miró.

–¿Qué demonios estabas haciendo arriba? –prosiguió Randi.

–Creí haber oído algo y subí a comprobarlo.

–Claro que oíste algo. Era yo. Esta casa está llena de gente, ¿sabes? –le dijo ella. Estaba enfadada y él podía sentir la furia. Se dio cuenta de que no se había molestado en abrocharse el camisón y actuaba inconsciente de que sus pechos eran absolutamente visibles.

–¿Quieres que te lo explique o no?

–Sí. Inténtalo –dijo ella cruzando los brazos bajo los pechos haciendo que éstos se levantaran y el escote pareciera aún más vertiginoso. Kurt le sostuvo la mirada.

–Como te he dicho, oí algo. Pasos. Subí y recorrí el pasillo. Cuando llegué a lo alto de las escaleras te encontré allí.

–Y el resto, como dicen, es historia –dijo ella arqueando una ceja y frunciendo los labios–. ¿Viste mucho?

–Bastante.

–¿Y te gustó?

–Estuvo bien –dijo él sin poder evitarlo.

–¿Qué?

–Los he visto mejores.

–¡Por el amor de Dios! –exclamó Randi y Kurt vio, a pesar de la escasa luz, que se había ruborizado.

–¿Qué esperabas, Randi? Me pillaste mirando. No lo planeé pero estabas allí y… me pillaste. Supongo que podría haberme aclarado la garganta para que supieras que estaba allí y podría haber bajado de nuevo, pero fue… una sorpresa –dijo él y su sonrisa se esfumó–. Somos adultos. Olvidémoslo.

–Es fácil para ti decirlo.

–No tan fácil.

–¿Qué quieres decir? –dijo ella mirándolo con suspicacia.

–Eres bastante inolvidable.

–Sí, bueno –dijo ella pasándose los dedos por el pelo haciendo que su camisón oscilara y proporcionándole una vista aún más detallada de sus pechos y su abdomen. Como si un golpe de viento la hubiera avisado, Randi bajó la vista y se miró los pechos–. Estupendo –masculló mientras trataba de abrocharse los botones–. Aquí estoy riñéndote y dando todo un espectáculo…

–No pasa nada –dijo él–. Te he mentido. Nunca antes vi otros iguales.

Randi sacudió la cabeza y rió.

–Esto es ridículo. ¿Puedo invitarte a una copa? –prosiguió Kurt.

–¿Del licor de mi padre? Creo que no. Podría hacer algo de lo que luego me arrepentiría.

–¿Eso crees?

–Sí, eso creo –dijo ella exhalando un suspiro y asintiendo con la cabeza.

Debería haberse detenido ahí mientras todavía podía mantener el control de la situación, pero no lo hizo.

–Tal vez el arrepentimiento esté sobrevalorado –dijo Kurt dejando el vaso encima de una silla y acercándose más a Randi. Notó desde allí que a Randi el pulso se le aceleraba y supo que estaba tan asustada como él.

Pero hacía mucho que no besaba a una mujer y durante semanas había estado pensando lo que se sentiría al besar a Randi McCafferty. Y lo descubrió. La rodeó con los brazos y mientras ésta dejaba escapar un gemido, rozó con sus labios los de ella y sintió un río de calor por sus venas. Ella también le rodeó el cuello con sus brazos y su cuerpo se ajustó perfectamente al de él.

Kurt escuchaba una voz de advertencia en su cabeza, pero la ignoró e introdujo la lengua en la boca entreabierta de Randi, mientras una potente erección le apretaba bajo el pantalón. Era una mujer cálida y sabía a café. Kurt comenzó a levantarle el camisón lentamente y el suave tejido quedó hecho un gurruño entre sus manos a la altura de los muslos de Randi. A continuación la arrastró con él hacia la alfombra frente al fuego en ascuas…

De vuelta al presente, y sentado al volante de su furgoneta viendo la lluvia golpear el parabrisas, Striker se despreció al pensar en lo que había hecho. Pero él no necesitaba complicarse con una mujer. Se miró el dedo anular de la mano izquierda donde todavía podía ver la marca de un anillo como si se lo hubieran marcado a fuego en la piel. Los músculos del cuello se le tensaron y una serie de oscuros pensamientos cruzaron por su mente. Pensamientos sobre otra mujer... otra hermosa mujer y una pequeña niña...

Furioso por el rumbo que habían tomado sus pensamientos, se obligó a mirar hacia la casa de Randi. Era un grupo de casas construidas sobre una colina desde la que se disfrutaba de la vista del lago Washington. Había aparcado en la acera de enfrente para poder tener una visión mejor de la puerta de entrada, la única por la que se podía entrar a la vivienda, a menos que uno intentara entrar por la ventana. Aun así, vería si se iba en el Jeep a menos que fuera a pie, y él podría seguirla.

Miró el reloj. Le quedaban cuarenta y siete minutos para pensarlo. Se recostó contra el asiento y tomó su gastado maletín. Dentro estaba el expediente con toda la información sobre el caso McCafferty. Con un ojo en la casa, pasó páginas y anotaciones, fotos y columnas recortadas del *Seattle Clarion* escritas por Randi McCafferty, acompañadas de una foto de la autora sonriendo.

Se trataba de una columna de consejo para los solteros, tanto para los empedernidos como para los recién divorciados, viudos o cualquier otra persona que pidiera su opinión y dijera que no estaba casada. En cada una, Randi imprimía un toque humorístico. La columna tenía mucho éxito.

Sin embargo, corrían rumores de que el periódico estaba pasando un bache. Randi McCafferty y su editor, Bill Withers, se llevaban mal supuestamente. Striker no sabía por qué. Aún. Pero lo averiguaría. Randi también había escrito algunos artículos para otras revistas bajo el seudónimo de R. J. McKay. Estaba además su novela inacabada sobre los circuitos de rodeo. Había muchas cosas en la vida de la señorita McCafferty. Estaba claro que era una mujer interesante y también que estaba fuera de su alcance.

Frunció el ceño tras los cristales cubiertos de gotas de lluvia zigzagueantes y sus pensamientos comenzaron a avanzar por terreno prohibido de su pasado, hacia un tiempo que parecía muy lejano, antes de que se hartara de todo. Antes de perder la fe en las mujeres. En el matrimonio. En la vida. Un tiempo en el que no quería volver a pensar. No en ese momento. Nunca.

Unos meses atrás, Randi se habría burlado de sus hermanos por estar tan preocupados por ella pero eso era antes del accidente. Recordaba pocas cosas, afortunadamente, pero no le quedaba más remedio que creer que realmente alguien quería hacerle daño. Podía aceptar la ayuda de Striker, pero tenía miedo de que si lo hacía, si confiaba en alguien, estaría poniendo en juego la vida de su hijo y ése era un riesgo que no quería correr. Sin tener en cuenta la preocupación de sus hermanos. Ante el total desacuerdo de ellos, decidió que se marchaba.

De vuelta en el presente, Randi vio que Striker seguía en el coche. Esperando. Lo maldijo mientras cerraba las persianas y echó una última ojeada a la habitación de su bebé. Los suelos de madera llenos de polvo, la cuna en una esquina, la estantería sin montar porque no había tenido tiempo.

«Porque estabas en el hospital; estuviste a punto de morir. Alguien estaba decidido a acabar con tu vida. Tal vez, sólo tal vez, tus hermanos podrían tener razón. Tal vez deberías confiar en Striker».

De nuevo recordó lo ocurrido la noche anterior. ¿Podía confiar en él? ¿Y en ella? Pero tampoco tenía muchas opciones.

Por mucho que le fastidiara admitirlo, Kurt Striker tenía razón. Si él podía haber averiguado dónde estaba Joshua, el asesino también podría hacerlo. Se le encogió el corazón al pensar en el desalmado que podría desear hacerle daño a un inocente bebé.

«No es a Joshua, Randi. Es a ti. Es a ti a quien quiere ver muerta. Tu bebé estará a salvo si no está contigo».

Se abrazó a la idea y se dispuso a rehacer su vida. Se preparó una taza de café y telefoneó a la oficina. Su editor no estaba pero dejó un mensaje en el contestador. Comprobó su correo electrónico, deshizo la maleta y se puso ropa limpia. Se anudó un pañuelo alrededor del cuello. Se miró al espejo. Había perdido peso en los últimos cinco meses y no se acostumbraba al cabello tan corto. Siempre lo había llevado largo. Se puso un poco de gel fijador. Se estaba lavando las manos cuando sonó el timbre varias veces. Sabía quién era. Miró el reloj y vio que había pasado una hora y cinco minutos desde que hablara con Striker. Parecía que el hombre era puntual

Lo último que necesitaba era que le metieran prisas y se pusieran en su camino. Era una persona muy independiente por naturaleza y no le gustaba que nadie metiera la nariz en sus asuntos, fueran cuales fueran las razones. Conteniendo su genio, abrió la puerta y allí estaba: uno ochenta y cinco centímetros de pura determinación masculina en el marco de su puerta. Su pelo castaño claro estaba más oscuro por la lluvia y sus ojos verdes la miraban con dureza. Vestido con una gastada cazadora y unos vaqueros aún más gastados, estaba realmente sexy, y a juzgar por su mirada, parecía tan contento de verla allí parada como ella de verlo a él.

—¿Por qué llamas al timbre? —preguntó decidiendo finalmente no ocultar su irritación—. Creía que tenías tu propia llave, cortesía de mis hermanos.

—Sólo se preocupan por ti.

—Deberían ocuparse de sus propios asuntos.

—Y por el niño.

—Lo sé —dijo ella retirándose de la puerta y dirigiéndose a continuación hacia el salón. Striker la seguía de cerca. Randi oyó cerrarse la puerta tras él y a continuación el cerrojo y el sonido de las botas de él sobre el suelo de madera.

—Escucha, Randi —dijo mientras ésta abría un armario y sacaba un chubasquero—. Si yo he podido entrar en tu casa, cualquiera...

—Sí, sí, ya lo había pensado —dijo ella deslizando los brazos en las mangas y levantando la vista hacia él—. Cambiaré la cerradura y pondré un cerrojo nuevo.

—Junto con un sistema de alarma y un perro guardián.

—Tengo un hijo, ¿recuerdas? —dijo ella dirigiéndose hacia el sofá donde había dejado el bolso. A continuación metió el portátil en su bolsa—. No creo que un perro de ataque sea una buena idea.

—Yo no he hablado de un perro de ataque, sino de un perro guardián. Hay una gran diferencia.

—Si tú lo dices. Y ahora, si me disculpas, tengo que ir a la oficina —y se anticipó a lo que él le iba a decir—. Mira, no sería una buena idea que me siguieras, ¿sabes? Ya tengo bastante con mi jefe —no esperó a que le respondiera y se dirigió a la puerta–. Así que si me disculpas… –volvió a abrirla sin decir más.

–No te desharás de mí tan fácilmente –dijo él tratando de esbozar una sonrisa.

–¿Por qué? ¿Por el dinero? –preguntó sorprendida de que la sola mención la molestara–. ¿Se trata de eso, verdad? Mis hermanos te han pagado para que me vigiles, ¿no? Se supone que eres… oh, Dios, ¡mi guardaespaldas personal! Dime que Thorne, Matt y Slane no son tan antiguos, tan controladores, tan estúpidos como para pensar que necesito un guardaespaldas… –se habría reído de no haber estado tan furiosa–. Esto se tiene que terminar. Necesito privacidad. Necesito espacio. Necesito…

Striker levantó una mano rápida como el rayo y la sujetó por la muñeca, sus dedos formando unos grilletes sobre su piel.

–Necesitas aprender un poco más de humildad y ser menos egoísta –dijo él. Estaba tan cerca de Randi que ésta pudo sentir su furiosa respiración sobre su rostro–. Ya hemos pasado antes por esto. Deja de pensar en tu maldita independencia y piensa en la seguridad de tu hijo y la tuya propia de paso –la soltó tan súbitamente como la había agarrado–. Vamos. No me entrometeré en tu camino.

La sonrisa que le dedicó era tan endemoniadamente atractiva que la dejó sin aliento.

–Te lo prometo –añadió.

Capítulo Cinco

–No pensarás venir conmigo –advirtió ella mientras se cubría la cabeza con la capucha en el trayecto hasta el Jeep. La lluvia se había convertido en una leve llovizna que dificultaba totalmente la visibilidad. El cielo de la tarde estaba cubierto de densas nubes.

–Haría las cosas mucho más fáciles.

Estaba claro que Striker no captaba la indirecta. La acompañó hasta el coche, el cuello de la cazadora levantado para protegerse del frío.

–¿Para quién? –dijo ella mirándolo y abriendo el coche. Las luces del interior se iluminaron.

–Para los dos.

–No lo crco –dijo ella subiendo al asiento y cerrando las puertas de inmediato. Él no se movió. Se quedó junto al coche como si esperara que ella cambiara de opinión. Randi puso el motor en marcha y se quitó la capucha y dejó a Striker de pie bajo la lluvia. Al mirar el retrovisor vio que corría a su coche pero no antes de que ella se mezclara con la circulación que se dirigía al centro de la ciudad. No podía dejar de mirar a los espejos comprobando si Striker la seguía.

No tenía la más mínima duda, pero no podía ver su coche y tuvo que obligarse a prestar atención al tráfico y a las luces rojas que centelleaban bajo la lluvia. No podía permitir que su mente regresara con el hombre a pesar de que la noche anterior se hubiera comportado como una idiota.

Había dejado que la besara. Había sentido sus labios ardientes y duros contra la depresión que formaba su garganta, y también sobre sus hombros. No debería habérselo permitido, debería haber sabido que era un error, pero su cuerpo la traicionó y cuando los dedos ásperos del hombre comenzaron a acariciarle las costillas y la barba le irritó la piel, ella se dejó llevar y lo besó apasionadamente.

Se había sorprendido de lo mucho que lo estaba deseando, de lo apasionadamente que lo besó y lo despojó de su ropa para recorrer con ansiosos dedos sus fibrosos hombros y enredarlos entre el vello del pecho.

En la chimenea no quedaban más que algunas ascuas rojas que proporcionaban a la habitación un tono anaranjado. Su respiración estaba entrecortada y el corazón le latía con fuerza a medida que el deseo iba creciendo en ella. Había estado deseando que la tocara y su cuerpo se estremeció cuando le rozó los pezones con la lengua, se mordió el labio inferior al sentir el aliento tibio acariciándole el abdomen y las piernas. Se abrió a él con total facilidad cuando sus manos comenzaron a explorarla. Dejó la mente en blanco. Sólo podía pensar cuánto lo deseaba… Había deseado a aquel hombre como a ningún otro.

Era una estupidez… pero cuando la besó de forma tan íntima mientras se introducía en ella había estado a punto de perder el control. Tenía un cuerpo muy potente…

Casi perdió la salida que tenía que tomar al recordar la noche de amor que había pasado con él, la misma noche que la había obligado a dejar el rancho de forma apresurada a la mañana siguiente. Como si se sintiera avergonzada.

A través de la lluvia reconoció los edificios y las

grises aguas de Eliot Bay, oscuras y agitadas, igual que sus propios sentimientos. Aparcó el coche en su plaza del periódico, tomó su portátil y su maletín y dispuesta a enfrentarse a la vida que había dejado meses atrás.

Las oficinas del *Seattle Clarion* estaban en la quinta planta de un edificio que había sido anteriormente un hotel, un edificio centenario de ladrillo rojo renovado y reconvertido en oficinas.

Randi llamó al ascensor. Estaba sola, el agua chorreaba por su chaqueta. Se detuvo dos veces para que subieran otras personas antes de llegar a la quinta planta. Finalmente, las puertas se abrieron dejando a la vista un pequeño pasillo desde el que se veían las puertas de cristal de las diversas oficinas. Shawn-Tay, la recepcionista, levantó la vista y se quedó sorprendida al ver a Randi.

–¡Por todos los santos, mira quién está aquí! –exclamó poniéndose en pie y quitándose los auriculares en un rápido movimiento. Rodeó la mesa y se acercó para abrazarla–. ¿Pero qué te ha pasado? Nunca llamabas. Estaba preocupada por ti. Me enteré del accidente y... –se detuvo y tomó a Randi por el brazo–. ¿Dónde está ese bebé tuyo? ¿Cómo te atreves a venir aquí sin él? –la miró con la cabeza ladeada antes de seguir hablando–. El pelo no está mal pero has adelgazado mucho.

–Ya me ocuparé de eso.

–¿Cómo está el bebé? –Shawn-Tay alzó las cejas cuando el teléfono comenzó a sonar–. Maldito aparato. Tengo que contestar pero vuelve y cuéntamelo todo –dijo la chica rodeando la mesa y colocándose los auriculares de nuevo–. *Seattle Clarion*, ¿con quién quiere hablar?

Randi se alejó de la recepción y fue pasando por los cubículos y las mesas de sus compañeros. La

suya estaba en una esquina, en la sección de noticias, tras un panel de cristal que separaba a los re-
porteros de la sección comercial. En el tiempo que
había estado fuera, habían pintado las paredes en
diferentes tonos: malva suave en una pared, verde
en otra, dorado y naranja haciendo juego todos
con la alfombra. Había gente trabajando aún. La
oficina estaba en general tranquila.

Se sentó en su mesa y se sorprendió de que todo
estuviera tal como lo había dejado, que nadie se
hubiera apropiado de su sitio, en los meses de ausencia. Había hablado con su jefe sobre la baja por
maternidad muchos meses antes y por ello había
escrito varias columnas para cubrir la ausencia y poder tener tiempo para terminar el libro que estaba
escribiendo. Entre las columnas nuevas y alguna
otra antigua tendría material suficiente para poder
salir del trabajo a su hora un par de veces por semana.

Pero era hora ya de enfrentarse a las preguntas
que tenía y pasó las siguientes dos horas leyendo el
correo y también repasando el correo electrónico
que no había leído desde Montana. Absorta en lo
que estaba haciendo apenas era consciente de la
música de fondo que había en la oficina y el sonido
que hacían los móviles al acoplarse a las líneas fijas
de teléfono. Las conversaciones apenas le rozaban
los oídos.

Sí podía pensar, sin embargo, si Kurt Striker la
habrá seguido, en aquel momento estaría hablando
con Shawn-Tay en la recepción. Y el pensamiento la
hizo sonreír. Striker no era el tipo de hombre con
quien se tendría una pequeña charla. De ninguna
forma. Era un hombre muy sexy con un pasado oscuro del que nunca hablaba. Tenía la sensación de
que en algún momento de su vida había estado

unido a la policía aunque no sabía por qué ya no seguía en el cuerpo. Pero lo averiguaría. Trabajar en un periódico tenía sus ventajas y una de ellas era el acceso a mucha información. Si él no le decía la verdad, tendría que hacer algunas averiguaciones. No sería la primera vez.

–Eso es. Los tres están en Seattle –le dijo Eric Brown a Striker–. ¿Qué posibilidades tenemos? Clanton vive aquí pero los otros dos no. Paterno tiene una casa aquí pero Donahue no.

A Striker no le gustó.

–Paterno llegó hace tres días y Donahue se dejó caer ayer.

Unas horas antes de que llegara Randi.

–¿Coincidencia? –murmuró Striker, sin poder creerlo. Estaba en la puerta de las oficinas del *Clarion*.

–Si crees que no lo es, tengo una casa en Mojave que…

–Que quieres venderme. Sí, lo sé –terminó Striker con tono de enfado–. Clanton vive aquí, Paterno tiene negocios en la ciudad. Pero Donahue… –tensó la mandíbula–. ¿Podrías seguirle?

–No, si quieres que vigile la casa.

Striker maldijo todo. No tenía suficientes medios personales para llevar a cabo aquella labor. Brown y él no podían estar en tres sitios a la vez.

–Quédate donde estás, pero llámame si ocurre algo raro, cualquier cosa que te parezca sospechosa.

–De acuerdo, ¿pero qué pasa con los otros dos tipos, Paterno y Clanton?

–Comprueba a qué han venido, pero es Donahue quien nos preocupa más. Hablaremos más tarde –Striker colgó y llamó a Kelly McCafferty y le dejó un mensaje en el contestador. Enfadado con el mundo, cerró el teléfono de golpe. Los tres hombres con los que Randi se había relacionado estaban en la ciudad. Encogido por el frío, llevaba el cuello de la chaqueta levantado y sentía la punzada de los celos en su interior. Y envidia también. Striker detestaba aquellos dos sentimientos, que él siempre había tratado de evitar, incluso mientras estuvo casado. Tal vez aquél hubiera sido el problema. Tal vez si hubiera podido sentir la pasión con más fuerza, los celos, incluso la rabia pero también la empatía durante aquellos primeros años de matrimonio, si le hubiera mostrado a su mujer que le importaba, tal vez así las cosas hubieran sido diferentes. ¿Pero por qué estaba pensando en todo eso? No podía cambiar el pasado, y el accidente, así era como él lo llamaba, lo había alterado todo, creando un vacío intenso y muy dañino que nunca podría llenar.

Y aun así la noche anterior, cuando había estado con Randi… cuando la besó y la acarició, dejándose abrazar por su calor, se había sentido diferente. «Deja de darle tanta importancia. Le hiciste el amor, ¿y qué?» Tal vez fuera porque hacía mucho tiempo que no estaba con ninguna mujer y por eso le estaba dando demasiada importancia a lo que había pasado la noche anterior con Randi.

Fuera lo que fuera, no podía dejar de pensar en ello. Y no estaba bien.

Haciendo un esfuerzo por borrar de su mente la imagen de Randi desnuda delante de la chimenea con aquella cálida mirada en los ojos, Striker compró un café y volvió a su sitio delante de la puerta principal del periódico, protegido por el toldo de una librería que había justo al lado del *Clarion*.

Mientras bebía el café una familiar sensación de dolor por mucho que él no quisiera admitirlo, lo invadió. Los peatones pasaban a su lado envueltos en las gabardinas protectoras, algunos llevaban sombreros, otros paraguas, la mayoría llevaba la cabeza al descubierto tan sólo los cuellos levantados frente al viento y la lluvia que caía con firmeza. En ese momento sonó el móvil y lo sacó del bolsillo para contestar.

–Striker.

–Hola, soy Kelly.

Por primera vez en varias horas, Striker sonrió mientras escuchaba a la mujer de Matt. Los hombres del rancho estaban preocupados por la forma en que Randi se había marchado. Kelly estaba buscando un todoterreno Ford marrón que tenía un arañazo y marcas del golpe que le había propiciado al coche de Randi en Glacier Park. Kelly también estaba comprobando qué personal estaba de guardia la noche que atentaron contra su vida en el hospital, pero hasta el momento no había averiguado nada.

Striker no mostró sorpresa.

Colgó el móvil. Estaba igual que antes. La persona que estaba tratando de matar a Randi era muy inteligente o tenía mucha suerte.

Hasta el momento.

Multitud de coches y furgonetas, todos con los cristales empañados, pasaban a toda velocidad por las estrechas calles de aquella parte de la ciudad. Striker miró hacia la puerta del edificio, dio un sorbo a su café y frunció el ceño al pensar en aquellos hombres que habían pasado por la vida de Randi McCafferty. Al menos uno de ellos tenía que ser el padre de su hijo.

Paterno. Clanton. Donahue. Bastardos todos ellos.

Pero estaba estrechando el cerco. Había hecho alguna que otra averiguación sobre los hombres de la vida de Randi. Era bastante improbable que Joe Paterno fuera el padre del bebé. Las fechas no cuadraban. Kurt había echado un vistazo a la agenda de trabajo de Paterno. Éste estaba en Afganistán en la época que el niño debía haber sido concebido. Había, no obstante, rumores de que había vuelto a la ciudad a pasar un fin de semana, pero Kurt prácticamente había descartado la posibilidad después de hablar con la charlatana asistenta de Paterno. A menos que éste no hubiera aparecido por su apartamento y se hubiera encerrado durante todo el fin de semana con Randi, no podía ser el padre. Y como Randi no había salido de la ciudad prácticamente durante todo el mes, parecía que Joe estaba fuera de sospecha.

Quedaban Brodie Clanton, el gusano, y Sam Donahue, el vaquero duro, un hombre éste último con una reputación tan sucia como su sombrero. De nuevo los celos lo atravesaron. Clanton era un tipo astuto, un abogado rico y mujeriego. A Striker le repugnaba pensar que Randi pudiera haberse acostado con un hombre que apenas podía formar una frase sin mencionar que su abuelo había sido un juez muy importante.

Clanton era el mayor idiota de todos, un soltero juerguista que a menudo rondaba a los pseudofamosos cuando estaban en la ciudad. Jugaba en Bolsa, tenía coches caros y mujeres jóvenes a su alrededor, el tipo de cosas que un hombre ofrece por estar en el círculo. Clanton había estado en la ciudad en la época de la concepción, pero, al indagar un poco más en los recibos de las tarjetas de crédito, Striker había decidido que Randi, en aquella época, había dejado la ciudad en varias ocasiones.

No había ido tan lejos como Afganistán, y presumiblemente a los brazos de Paterno, sino que había salido a la búsqueda de una historia relacionada con los circuitos profesionales de rodeo en los que Sam Donahue era conocido por domar caballos salvajes y romper corazones femeninos.

Si tenía que decantarse por alguno como el padre de la criatura, tenía que ser Donahue. Casado dos veces y divorciado las dos por engañar a sus dos esposas, a la primera de ellas con una mujer más joven que había crecido en Grand Hope, Montana, el pueblo natal de Randi. Para más coincidencia Donahue había regresado a Seattle sólo un día antes que Randi.

Striker tensó tanto la mandíbula que le dolía.

Un análisis del ADN confirmaría sus sospechas a menos que consiguiera arrancar la respuesta de los labios de Randi, sus preciosos labios, incluso cuando estaba enfadada. Su boca formaba entonces un puchero de lo más sexy.

Era una absoluta locura. No podía, no debía permitir que su mente vagara por aquel camino de oscura seducción. Por muy atractiva que fuera Randi McCafferty, le estaban pagando para protegerla, no para seducirla. No podía dejar que volviera a ocurrir nada entre ellos.

Sintió que se estaba excitando y se maldijo por ello. No debería sentir una erección sólo por pensar en ella, y menos en aquel momento. Tenía mucho trabajo y sería mejor que lo hiciera rápido antes de que otro inexplicable «accidente» tuviera lugar y alguien resultara herido. Tenía que evitar a toda costa que el supuesto asesino tentara a la suerte de nuevo y esta vez le sonriera y matara a alguien.

Capítulo Seis

Empujó las puertas giratorias y lo encontró justo donde esperaba: en la calle mojada, con un aspecto duro y destartalado al tiempo que lo volvía extremadamente sexy.

Randi notó que se le aceleraba el pulso al verlo, pero sofocó rápidamente cualquier reacción emocional hacia el hombre. Sí, estaba demasiado atractivo con aquellos vaqueros, la chaqueta de cuero y sus duros rasgos. Tenía la cara roja por el frío, el pelo revuelto por el viento y húmedo, la cadera apoyada contra los ladrillos de una pequeña tienda, los ojos fijos en la puerta del edificio del periódico. Sujetaba en las manos un vaso de café que tiró en una papelera cercana cuando la vio salir.

Randi se preguntó por qué la atraerían tanto los hombres sensuales con aspecto peligroso. En toda su vida se había sentido atraída por el vecino de al lado, ni por el hombre afable y trabajador, que pasa los domingos viendo fútbol por la tele y ama a su esposa durante toda la vida sin olvidar nunca la fecha de su aniversario. Randi pensó que ése era el motivo por el que podía dar consejos a hombres y mujeres que siempre se sentían atraídos por las personas que menos les convenían, porque a ella le pasaba lo mismo. Cruzó la calle sorteando los charcos hasta llegar a su coche donde Striker la estaba esperando. Era consciente de la atracción entre ambos. Las marcas que lo probaban aún ardían en su piel.

—Otra vez tú —dijo Randi abriendo el coche con el mando—. No lo entiendes, ¿verdad? No quiero verte más.

—Ya hemos hablado de eso.

—Y tengo la sensación de que hablaremos de ello muchas más veces hasta que captes el mensaje —dijo ella abriendo la puerta del coche, pero Striker fue más rápido y la cerró con la palma de la mano.

—¿Por qué no empezamos de nuevo? —sugirió Striker con una sonrisa, el brazo atravesado para evitar que Randi subiera al coche—. Te invito a cenar. Hay un pequeño pub irlandés a la vuelta de la esquina y así podrás ponerme al corriente de tu vida antes de ir a Montana.

—No hay nada que contar.

—Yo creo que sí —dijo él borrando la sonrisa—. Es hora de que te sinceres conmigo. Estoy harto de tu silencio. Tengo que averiguar quién intenta hacerte daño a ti y a tus hermanos. Si no fueras tan condenadamente arrogante al pensar que esto sólo tiene que ver contigo, te darías cuenta de que eres la clave de lo ocurrido en el rancho. No es sólo tu problema, señorita. Por si no lo recuerdas, el avión de Thorne se precipitó…

—Eso fue por el mal tiempo. Fue un accidente.

—Se vio obligado a volar de vuelta a Montana con aquella tormenta por ti y tu bebé, ¿no es así? ¿Y qué me dices del incendio del establo? Por todos los santos, Slade casi pierde la vida. El fuego fue provocado y se me antoja que es demasiada coincidencia.

—Déjalo ya, Striker —le advirtió Randi.

—De eso nada.

—¿Por qué crees que dejé el rancho? —preguntó.

—Por mí.

Aquella respuesta la dejó de piedra. De pie bajo la lluvia, con la mirada del hombre fija en ella, a punto estuvo de perder la calma.

—¿Por ti?

—Y por lo que ocurrió anoche.

—No seas tan vanidoso.

—Dime por qué entonces.

—Dejemos algo claro. Dejé Montana para que no hubiera más «accidentes» en el rancho y mis hermanos y sus familias estuviera a salvo. Quien quiera que esté detrás de esto me quiere a mí.

—¿Crees que así desviarás la atención sobre tus hermanos?

—Sí.

—¿Y qué me dices de ti? ¿De tu hijo?

—Puedo cuidarme sola, y también a mi hijo.

—Pues hasta el momento no lo has hecho muy bien —dijo Striker mirándola con furia en los ojos.

—¿Y crees que confiar en ti me ayudaría? Lo único que sé de ti es que Slade cree que eres un buen hombre.

—Sabes muchas más cosas sobre mí que eso —replicó él y Randi tragó con dificultad tratando de vencer el deseo de abofetearlo.

—Si te refieres a lo que pasó anoche…

—¿Qué? Continúa.

—No puedo. Aquí no. Y… y además, no me refería a eso. No trates de manipularme.

Striker entornó los ojos y torció la boca hacia un lado.

—Parece justo y tienes razón. No me conoces, pero tal vez sea ya hora. Vamos. Te contaré todo lo que quieras saber —la miró con una cálida sonrisa—. Te invito a cenar.

Sin darle oportunidad para discutir, la tomó por el brazo en dirección al restaurante que había un par de calles más adelante. Una vez en el restaurante, la guió hacia un reservado antes de que Randi lograra desembarazarse de él.

–¿Dónde has aprendido modales? ¿En la Escuela de Etiqueta de la Edad de Piedra?

–Me gradué con honores –contestó él alzando una ceja.

Randi se rió un poco y frenó el deseo que la invadió en aquel momento. Provocarlo no la llevaba a ningún sitio pero, al menos, tenía sentido del humor y sabía reírse de sí mismo. Además, estaba hambrienta. El estómago empezó a hacer ruidos al oler los aromas procedentes de la cocina.

Kurt pidió una cerveza y ella lo imitó.

–De acuerdo, de acuerdo, tienes razón –dijo ella cuando Kurt se reclinó en el asiento mirándola a los ojos–. Te tomas en serio tu trabajo. No vas a desaparecer. El sueldo que mis hermanos te han prometido debe ser alto para aguantar mi mal genio.

Kurt dejó el tema de lado porque en ese momento llegó la camarera, una chica pelirroja y delgada con el pelo rizado recogido en una trenza, con las cervezas, un platillo con cacahuetes y la carta con el menú.

El lugar tenía una luz tenue y estaba decorado con cojines de cuero, madera de caoba envejecida, suelos de madera y un techo de ladrillo visto. Olía a cerveza y a humo de puro mezclado con el olor a comida. Dos hombres estaban jugando a los dardos en un rincón y a sus oídos llegaba también el sonido de las bolas entrechocando en las mesas de billar diseminadas por las diversas salas del local.

–Voy a comprobar cómo está mi hijo –dijo Randi buscando el móvil dentro del bolso y marcando el número de Sharon Okano.

Sharon contestó a la segunda llamada y le aseguró que Joshua estaba bien. Había cenado, estaba bañado y enfundado en su cómodo pijama, fascinado con el móvil que Sharon le había instalado sobre la manta de juegos.

—Iré a verlo en cuanto pueda.

—Estará bien.

—Lo sé. Es sólo que no puedo estar lejos de él.

Randi colgó y trató de calmar el dolor sordo que se instalaba en su interior cada vez que estaba lejos de su pequeño. Era algo muy extraño. Antes de que Joshua naciera, ella había sido una mujer sin preocupaciones, que no podía ni imaginar lo que el futuro le deparaba. Pero desde que se despertó del coma y supo que había dado a luz a un niño, no podía estar alejada de él ni siquiera unas pocas horas.

Guardó el teléfono en el bolso y se volvió hacia Kurt que la miraba sin perder detalle desde el borde de su jarra de cerveza. Randi sabía que tratar con aquel hombre no iba a ser fácil tampoco. Incluso sin tener en cuenta el hecho de que había hecho el amor con él muy apasionadamente la noche anterior.

Pidieron pescado con patatas y col y otra cerveza aunque no habían terminado la primera.

—¿Por qué guardas en secreto la identidad del padre de tu hijo? —preguntó Kurt finalmente—. ¿Es tan importante?

—Prefiero que no lo sepa.

—¿Por qué no? Tiene derecho.

—Un donante de esperma no es lo mismo que un padre —respondió Randi muerta de hambre aunque el tema de conversación bastaba para quitarle el apetito.

—Tal vez debería ser él quien juzgara eso.

—Tal vez tú deberías ocuparte de tus propios asuntos —dijo ella dando un largo sorbo de cerveza mientras unos hombres que veían el fútbol en la tele celebraban a gritos el gol de su equipo.

–Tus hermanos lo han convertido en asunto mío.

–Mis hermanos no pueden dirigir mi vida. Por mucho que quieran.

–Creo que tienes miedo –la acusó él mientras Randi sentía una rigidez en el cuello y la necesidad de defenderse.

–¿De qué? –preguntó, pero él no respondió porque la camarera llegó entonces con la cena. Sólo cuando se hubieron quedado solos de nuevo Randi repitió la pregunta–. ¿De qué se supone que tengo miedo?

–¿Por qué no me lo dices tú? Es sólo que me parece extraño, ya sabes, que una mujer no le diga al padre de su hijo que tiene un hijo. Habitualmente la madre quiere contar con algún apoyo económico y también emocional. Ese tipo de cosas.

–Yo no soy como las otras mujeres –dijo ella y le pareció que Kurt le daba la razón aunque no estaba segura porque en ese momento dio un sorbo a la cerveza. Siguió el movimiento del líquido descendiendo por su garganta, oscura por la barba de un par de días, y sintió que su cuerpo reaccionaba a la visión. Retiró la vista y se reprendió por seguir pensando en él. Hacía mucho tiempo que no estaba con un hombre, más de un año, pero no podía permitirse el lujo de mirar a Kurt Striker ni de imaginar lo que sería volver a sentir sus caricias, sus besos, la presión ardiente e insistente de sus labios contra su cuello mientras le quitaba el jersey…

Randi se detuvo y se dio cuenta en ese momento de que Kurt la estaba mirando, esperando su reacción como si le hubiera leído la mente. Para su horror, notó que se sonrojaba.

–Un céntimo por tus pensamientos.

Ella sacudió la cabeza, fingiendo más interés en la comida.

–No los vendería ni por un céntimo, ni por un millón de dólares.

–Entonces cuéntame algo del libro –le sugirió.

–¿El libro?

–El que estás escribiendo. Otro de tus grandes secretos.

Randi se preguntaba cómo un hombre podía llegar a ser tan irritante. Comió en silencio durante un momento y después lo miró.

–No es ningún secreto. Simplemente no quise decirle a nadie que lo estaba escribiendo hasta que estuviera terminado.

–Fuiste al rancho para terminar de escribirlo cuando alguien te sacó de la carretera en Glacier Park, ¿verdad? –preguntó Kurt mojando un trozo de pescado en salsa tártara.

Randi asintió.

–¿Y crees que sólo fue una coincidencia?

–Nadie sabía que iba a Montana para escribir un libro. Ni siquiera la gente del trabajo. Ellos pensaban que era mi baja por maternidad, y era cierto. Pretendía combinar las dos cosas.

–Juanita lo sabía –continuó Kurt entre un bocado de pescado y otro.

–Por supuesto. Se lo expliqué porque no era ningún secreto.

–Si tú lo dices –dijo él comiendo en silencio durante un rato, pero Randi no se podía relajar porque sabía que la siguiente pregunta estaba al caer, y así fue–. Dime, Randi, ¿quién crees que quiere matarte?

–Ya se lo he dicho cientos de veces a la policía.

–Hazme el favor a mí ahora –dijo él que casi había terminado su plato mientras que ella apenas había probado bocado. Se había quedado sin apetito.

–¿Quiénes son tus peores enemigos? Ya sabes, cualquiera con una causa, justa o no, para desear verte muerta.

Randi consideró la pregunta una y otra vez. No había dejado de darle vueltas en la cabeza desde que recuperó la memoria tras el coma.

–No… no lo sé. Nadie tiene una razón para odiarme tanto que quiera verme muerta.

–Los asesinos no siempre son gente razonable –señaló él.

–No te podría dar ningún nombre.

–¿Qué me dices del padre de tu hijo? Tal vez haya averiguado que estabas embarazada, sabe que no querías decírselo y decidió acabar con los dos.

–No haría algo así.

–¿No?

Randi sacudió la cabeza. No estaba segura de muchas cosas, pero dudaba que el padre de Joshua tuviera el más mínimo interés en saber que había sido padre, y desde luego no se desharía de los dos. Sintió un peso en el corazón, pero lo ignoró mientras Striker, reclinado sobre el asiento, retiraba el plato vacío.

–Si quieres que te ayude, tengo que saber qué está pasando. ¿Quién es, Randi? ¿Quién es el padre de Joshua? –prosiguió Striker.

Randi no se dio cuenta de que estaba apretando con fuerza la servilleta que tenía sobre el regazo, pero bajó la vista y se dio cuenta de los trozos de papel rojo. Suponía que no podría llevarse el secreto con ella a la tumba, pero dejar que el mundo supiera la verdad la hacía aún más vulnerable, como si estuviera abriendo una brecha en el lazo especial que había entre su hijo y ella.

—Apuesto a que es Donahue —dijo Kurt de repente.

Randi se quedó de piedra. Él pestañeó aunque la expresión de su rostro era de dureza.

—Supongo que te gustan los vaqueros sexys.

—No sabes qué tipo de hombre me gusta.

—¿De veras?

—No seas injusto, Striker, lo de anoche fue... fue...

—¿Qué fue?

—Un error. Ambos lo sabemos. Así que olvidémoslo. Como ya te he dicho, no tienes ni idea de cuál es mi tipo.

Kurt Striker torció la boca en un gesto de lo más atractivo. Los ojos verdes fijos en los de ella mientras una oleada de calor seco como el desierto en agosto subió por el cuello de Randi.

—Estoy tratando de averiguarlo.

«No lo hagas, Randi. No dejes que lo haga. Él no es mejor que... que...» Apenas podía respirar al pensar en lo tonta que había sido. Por un hombre que la había seducido, utilizado, cuando ella le importaba menos que un perro. Había sido una estúpida.

—De acuerdo, Striker —dijo empujando las palabras fuera de sus labios, palabras que unas pocas horas antes se había jurado que no diría—. Te diré la verdad —dijo y despreció la sensación de alivio que produjo en ella el poder confiar en alguien—. Pero es algo entre tú y yo, ¿de acuerdo? Te lo diré sólo a ti. Cuando llegue el momento se lo diré al padre de Joshua y a mis hermanos, pero sólo cuando yo lo diga.

—Me parece justo —dijo él reclinándose en la silla y cruzando los brazos sobre el pecho.

Randi tomó aire profundamente y rezó por no

estar cometiendo uno de los mayores errores de su vida. Miró a Striker a los ojos y admitió algo que a ella misma le costaba reconocer.

–Tienes razón. El padre de Joshua es Sam Donahue –dijo Randi atascándose al pronunciar el nombre de Sam. No le gustaba decirlo en voz alta, no le gustaba admitir que ella, como muchas otras antes, se había vuelto loca por el rudo vaquero. Era muy embarazoso y, de no haber sido por su precioso hijo, un error del que se habría arrepentido toda su vida. Joshua, sin embargo, había cambiado su opinión.

Striker no dijo una palabra ni levantó una sola ceja a modo de burla. No. Jugó limpio, y se limitó a mirarla, a observar cada reacción.

–Así que ya lo sabes –dijo Randi levantándose–. Espero que te ayude, pero no creo que signifique nada. Gracias por la cena –Randi salió del bar y subió los escalones hasta la acera. La lluvia había empezado a caer de nuevo, empañando las farolas de la calle, y el aire era espeso por la bruma. Randi sintió ganas de echar a correr, tan rápido como le fuera posible y huir del claustrofóbico sentimiento, del miedo que le comprimía el pecho, el mismo que había sentido al abandonar Montana.

Pero la acompañaba a todas partes. Los coches llenaban las calles y los peatones las aceras. No llevaba paraguas y no se molestó en ponerse la capucha. Dejó que la lluvia le humedeciera la cara y le aplastara el cabello. No le importaba. Se maldijo por haberle dicho a Striker lo de Sam Donahue. Su relación con él no había sido una relación amorosa, más bien una aventura, aunque en algún momento pensó que podría enamorarse de aquel bastardo. Cuando se dio cuenta del error que había cometido, el test de embarazo era positivo.

No se había molestado en decírselo a Donahue porque sabía que no le importaba. Era un hombre egoísta por naturaleza, un nómada que seguía el circuito de rodeo y no tenía tiempo para dos ex mujeres y los hijos bastardos que iba dejando. Randi no iba a cargarle con la responsabilidad de otro más. Creía que Joshua estaría mejor con un solo miembro parental en vez de dos peleándose continuamente.

Sabía que su hijo le haría preguntas y ella tenía la intención de contestarle con sinceridad. Cuando llegara el momento.

–¡Randi! –exclamó Striker llegando a su lado, la cabeza descubierta, el pelo tan mojado como el de ella. La expresión de su rostro de dureza.

–¿Qué? ¿Más preguntas? –preguntó Randi, incapaz de ocultar el tono sarcástico de su voz–. Lo siento, pero me he quedado sin detalles de mi vida.

–No he venido hasta Seattle para que te avergüences de nada –dijo Kurt acompañándola hasta el lugar en el que había aparcado el coche.

–Pues no lo parece.

–No es cierto, y lo sabes.

Habían llegado al coche de Randi y ésta presionó el mando para abrirlo.

–¿Por qué tengo la sensación de que aún no estás satisfecho, de que no lo estarás hasta que hayas destapado todos los detalles de mi vida privada?

–Sólo quiero ayudarte.

Parecía sincero, pero ya la habían engañado antes. Empezando por el maestro de los mentirosos, Sam Donahue. Maldijo a Kurt Striker por ser otro vaquero. Otro impertinente. Otro hombre sexy con un pasado oscuro. Otro hombre por el que estaba empezado a sentir algo. El tipo que tenía que evitar.

—¿Ayudarme?

—Eso es —dijo él mirándole entonces los labios que ella había empezado a humedecerse por los nervios, notando las gotas de lluvia que resbalaban por ellos. El corazón le latía con fuerza. En aquel momento, supo que iba a besarla aunque luchaba por contenerse. Vio en sus ojos verdes la batalla que se estaba librando en su interior, pero al final las emociones ganaron la partida y sus labios chocaron con tal intensidad que Randi abrió la boca para tomar aire mientras Kurt aprovechaba para introducir la lengua en su interior, buscando. Sus brazos la rodearon, el cielo se abrió y la lluvia comenzó a caer con fuerza mientras el corazón de Randi se abría.

Le devolvió el beso, cerrando la mente a la marea de sentimientos que le gritaban que aquél era el peor error de su vida, que estaba quemando puentes y que su vida a partir de ese momento, cambiaría para siempre.

Pero allí, en medio del bullicio de la ciudad, bañada en agua de lluvia, nada de aquello parecía importarle.

Capítulo Siete

«Detente. Detente. ¿No te acuerdas de lo que ocurrió anoche?»

Parpadeando con rapidez para quitarse el agua de la lluvia y luchando por no abandonarse a los brazos de Kurt, Randi consiguió por fin separarse.

–Definitivamente, esto no es buena idea –dijo Randi–. No lo fue anoche y tampoco lo es ahora.

–No estoy tan seguro de eso –dijo él torciendo la boca.

–Yo sí –mintió. En ese momento no estaba segura de nada. Se inclinó hacia atrás y trató de abrir la portezuela del coche–. Dejémoslo estar.

Kurt no discutió, ni tampoco impidió que se metiera en el coche, donde, con manos temblorosas, buscó las llaves y encendió el contacto. Aquello no era más que una absoluta locura. No podía ir besando ni a Kurt Striker ni a ninguno más como él.

¿Pero en qué había estado pensando?

«Tu problema es que no piensas».

Puso la radio y al momento las notas de una romántica canción inundaron el habitáculo. Se apresuró a buscar entonces un programa de entrevistas, pero sólo encontró uno en el que un psicólogo daba consejos a alguien que parecía estar relacionándose con la persona equivocada, el mismo tipo de consejo al que ella se enfrentaba en su columna, el mismo consejo que ella debería seguir.

Para empezar, había cometido el terrible error

de relacionarse con Sam Donahue y estaba volviendo a hacerlo, esta vez con Kurt Striker... ¡No! Randi golpeó el volante mientras frenaba para tomar la salida de la carretera.

Se salió al arcén y llamó a Sharon para asegurarse de que Joshua estaba bien y después se detuvo en el supermercado para comprar algunas cosas.

Quince minutos después estaba aparcando frente a su casa. Lejos del bullicio de la ciudad, la noche oscura parecía más amenazadora. El aparcamiento estaba oscuro y las luces de seguridad brillaban, lanzando charcos de luz sobre el suelo mojado y los coches aparcados alrededor del suyo. La zona estaba desierta. Nadie estaba paseando al perro ni sacando la basura. Una cálida luz salía por algunas de las ventanas, pero el resto de las casas estaba a oscuras.

«¿Qué te pasa? Por eso elegiste este lugar. Era tranquilo, sólo unas pocas casas sobre el lago».

Por primera vez desde que se había mudado a ese barrio, Randi miró hacia el apartamento a oscuras y tuvo miedo. Miró hacia atrás a través de los cristales de su coche y se preguntó si alguien estaría observándola, oculto entre los árboles y la zona ajardinada que rodeaba el aparcamiento. Tenía la desagradable sensación de que unos ojos ocultos la estaban observando.

—Espera un momento —murmuró al tiempo que levantaba el bolso y sostenía la llave. ¡Como si fuera a servirle de ayuda!

Nadie la estaba observando desde la oscuridad y aun así deseó no estar tan lejos de Striker. Tal vez sí necesitara un guardaespaldas, alguien en quien pudiera confiar.

«¿Pero alguien a quien no quieres dejar de tocar? ¿Alguien con quien has hecho el amor? ¿Alguien que incluso ahora que sabes que no debes, te gustaría llevarte a la cama?»

En su cabeza apareció al momento la imagen de Kurt Striker, y su cuerpo fuerte y terso, mirándola delante de la chimenea.

Se reprendió por seguir con la idea y cargando con el portátil, las verduras, el maletín y su descontrolada libido, se dirigió hacia la entrada de la casa. Abrió la puerta y encendió las luces. Casi deseó en aquel momento que Kurt estuviera dentro esperándola de nuevo pero era una locura. No podía confiar en aquel hombre.

—Eres una idiota —murmuró a su imagen reflejada en el espejo. Tenía el pelo húmedo y rizado por la lluvia, las mejillas encendidas y los ojos brillantes—. Tus problemas comenzaron por otra historia parecida.

Dejó el ordenador y su bolso cerca del escritorio, se quitó el abrigo y entonces escuchó el rumor de un coche que se acercaba. Levantó la vista y una rápida ojeada a través de la ventana de la cocina confirmó que Striker estaba de vuelta. Ya estaba fuera del coche y caminaba hacia la entrada. Randi fue a la puerta.

—No comprendes las indirectas, ¿eh?

—Ten cuidado. No estoy de humor para que me calienten la cabeza —advirtió él—. El tráfico es horrible —dijo al tiempo que entraba en la casa y cerraba la puerta con llave—. No me gusta que trates de despistarme.

—Y a mí no me gusta que un hombre me dé órdenes —respondió ella sacando los alimentos y metiéndolos en la nevera.

—Te besé.

—En la calle cuando era evidente que yo no quería que lo hicieras.

–¿No querías? –repitió él arqueando una ceja, incrédulo–. Pues me gustaría verte cuando sí quieras –añadió dando un resoplido impaciente.

–Aquello fue anoche –le recordó ella, aunque al segundo de haberlo dicho se arrepintió–. Pero será mejor que no hablemos de eso.

Kurt sacó un taburete y se sentó junto a la barra que separaba la cocina del salón.

–De acuerdo. Pero hay algo de lo que sí tenemos que hablar.

–¿De qué?

–De Sam Donahue.

–Otro tema vetado –dijo Randi sacando un paquete de pan.

–Yo creo que no. Ya hemos malgastado demasiado tiempo y estoy harto de que no me digas la verdad.

–Nunca debería haberte dicho nada.

–Yo ya lo había adivinado, ¿recuerdas? –dijo él mientras se pasaba los dedos por el cabello y respiraba hondo–. ¿Tienes madera para eso? –dijo señalando con la barbilla hacia la chimenea.

–Un poco. En un armario en la parte de atrás.

–Dame una cerveza, yo prepararé el fuego y luego, tanto si quieres como si no, hablaremos de tu ex amante.

–Claro –se burló ella–. ¿Acaso estás sugiriendo que las mujeres solteras no nos divertimos? ¿Cómo puedes tener la cara de venir aquí y empezar a gritarme órdenes? Sólo por… por lo que pasó anoche no tienes derecho a perseguirme y decirme lo que tengo que hacer en mi propia casa.

–Tienes razón –dijo él sin una pizca de arrepentimiento–. ¿Serías tan amable de darme una cerveza mientras yo preparo el fuego?

—Puede que no tenga. No he comprado en la tienda.

—Queda una. Está en la puerta de la nevera. Lo comprobé antes —dijo Striker. La botella vacía que había sobre la mesa dejaba clara constancia de ello.

Randi abrió la nevera mientras él volvía a dejar el taburete en su sitio y salía en busca de la madera. La botella estaba donde él había dicho. Era un hombre observador, pero seguía siendo un fanfarrón que se había presentado en su vida sin haber sido invitado. Un fanfarrón sexy, eso sí. Su peor pesadilla.

Sacó la última cerveza, la abrió y dio un largo sorbo mientras él llevaba los troncos hasta la chimenea. Lo menos que podía hacer era compartirla con ella, pensó Randi mientras observaba cómo Kurt se agachaba para colocar los troncos y entonces la camisa se le subió dejando a la vista una franja de su tersa y fuerte espalda. Randi notó la garganta seca y dio otro sorbo de cerveza. No hacía más que preguntarse qué iba a hacer con él. Ya le había desnudado su alma y su cuerpo, y, por si fuera poco, después de haber insistido en que no estaba interesada en él, había vuelto a besarlo en la calle, y le habría gustado seguir haciéndolo siempre, en ese mismo momento también... Echó un vistazo a la puerta de su dormitorio y se imaginó allí con él, bajo las sábanas, sus cuerpos sudorosos entrelazados mientras él le besaba los pechos. El corazón empezaría a latirle desaforadamente cuando le mordiera el pezón y recorriera con sus manos su cuerpo preparándola para penetrar en ella, su miembro erecto y en sus ojos verdes una mirada fiera. No dejaría de mirarla a los ojos y entonces entraría en ella, una embestida larga y profunda...

65

Kurt se aclaró la garganta y Randi regresó de golpe al presente, a su salón, donde Kurt seguía ocupándose de la chimenea. Entonces se volvió hacia ella y ésta se sonrojó al darse cuenta de que Kurt le había dicho algo y ella no recordaba nada.

–¿Perdona?

–Te he dicho que si tienes una cerilla –repitió él mirándola a la cara, después siguió la dirección de la mirada de Randi hasta el dormitorio. Alzó una ceja divertido y Randi se sintió azorada. Era evidente que le había leído los pensamientos y era muy embarazoso.

–Sí, claro…

Mientras ella fantaseaba, él había colocado los troncos en el lecho de la chimenea y los había rodeado de papeles. Randi dio un último sorbo a la cerveza y le pasó la botella yendo a continuación a la cocina a buscar las cerillas.

«No entres en ese salón. No tienes que acostarte con él otra vez. Ni siquiera volverás a besarlo. No harás ninguna estupidez con él. Otra vez no».

Encontró el paquete de cerillas y se las tiró por encima de la barra separadora mientras trataba de controlar los latidos de su corazón. Era hora de pasar a la ofensiva.

–Vale, Striker, tú ya sabes mi más oscuro secreto. ¿Cuál es el tuyo?

–No es asunto tuyo.

–Espera un minuto. Eso no es justo.

–Tienes razón, no lo es –dijo él encendiendo una cerilla y prendiendo fuego a los papeles secos que empezaron a crepitar–. Pero pocas cosas lo son.

–Dijiste que podría preguntarte lo que quisiera cuando estábamos en el pub.

–He cambiado de opinión.

–¿Así, sin más? –dijo ella chasqueando los dedos para ilustrar sus palabras.

–Así es –dijo él dando un largo sorbo.

–De eso nada. Creo que merezco saber quién demonios eres.

Kurt se puso en pie al ver que el fuego prendía y la miró a los ojos.

–Soy un ex policía convertido en investigador privado.

–Eso ya me lo había imaginado yo sola, pero ¿qué hay de tu vida privada?

–Es eso, privada.

–¿Estás soltero, no? No hay ninguna señora Striker.

Kurt tardó lo suficiente en contestar para ponerla nerviosa. No podía creer que le estuviera sucediendo otra vez lo mismo y hasta tuvo que apoyarse en la barra para no caerse. La había besado. La había tocado. ¡Le había hecho el amor!

–Ya no. Estuve casado, pero terminó hace unos años.

–¿Por qué?

–¿No lees las estadísticas? –dijo él que se había puesto tenso.

–No me importan las estadísticas. Te he preguntado por tu caso en particular.

–Simplemente no funcionó. Yo era policía y supongo que prestaba más atención a mi trabajo que a mi mujer –dijo él y una sombra de duda cubrió sus ojos.

–¿No tuvisteis hijos?

Kurt guardó silencio de nuevo. Y de nuevo cruzó una sombra por sus ojos. Apretó los labios y se sacudió las manos manchadas de polvo.

–Nunca tuvimos hijos –respondió lentamente–, y

67

no he vuelto a saber nada de mi ex. Eso es todo lo que querías saber, ¿no?

En sus ojos había una chispa de desafío como si la estuviera retando a discutir con él. Randi ardía en deseos de preguntarle ciertas cosas, pero se contuvo. De momento. Había otras formas de conseguir información sobre él. Ella era periodista y eso significaba que podía averiguar casi todo lo que estuviera relacionado con él.

–Tengo que trabajar –dijo Randi dirigiéndose hacia el ordenador–. He estado fuera varios meses y si no contesto mis e-mails y escribo una o dos columnas, tendré problemas. Mi jefe y yo no nos llevamos muy bien. Así que si no te importa… y si te importa también, voy a ponerme manos a la obra ya. Entiendo que consideras que debes estar a mi lado las veinticuatro horas del día pero no es necesario. Nadie me atacará aquí.

–¿Qué te hace pensar eso? –dijo Striker apurando lo que quedaba de cerveza.

–Porque hay demasiada gente alrededor, hay un guarda de seguridad siempre y lo más importante, Joshua está a salvo con Sharon.

La expresión en el rostro de Striker dejaba ver que él no era de la misma opinión. Randi rodeó la barra y cruzó el salón.

–Sé que corro cierto peligro –continuó–. Obviamente lo sé o no me habría preocupado de ocultar a mi bebé. Regresé aquí para tratar de averiguarlo, quitarme de encima a mis hermanos, continuar con mi vida y dejar que ellos vivan la suya. Y sí, te mentiría si te dijera que no estoy nerviosa, que no me asusto de las sombras, pero necesito aclarar ciertas cosas, saber qué está ocurriendo.

–Por eso estoy aquí. Creo que si trabajamos juntos averiguaremos lo que está ocurriendo –dijo él.

68

Estaba muy próximo a ella, tanto que ésta podía oler el cuero de su chaqueta y sentir el calor de su cuerpo.

–Imposible –dijo ella–. He estado pensando en lo que ocurrió desde todos los ángulos y siempre llego a la misma conclusión: no tengo ningún enemigo propiamente dicho que yo sepa. Al menos nadie que quiera hacerme daño a mí y a mi familia. No tiene ningún sentido –Randi se alejó de Kurt y se dejó caer en el sofá. No podía dejar de pensar en quién y por qué quería hacerle daño.

–¿Qué tiene sentido entonces? –preguntó Kurt–. Alguien te siguió desde Seattle hasta Grand Hope y te sacó de la carretera. ¿Por qué?

–Ya te lo he dicho. No lo sé. Créeme. He estado pensando en ello.

–Pues insiste –dijo él frunciendo el ceño y pasándose los dedos por el pelo húmedo–. Si no tiene que ver con tu hijo, ¿podría ser alguien relacionado con el trabajo? ¿Has aconsejado mal a alguien?

–Ya he pensado en eso también. Cuando llegué a Montana, me conecté a Internet y comprobé las columnas de los dos meses previos al accidente y no encontré nada que pudiera haber enfurecido a nadie.

–¿Estás preocupada, verdad? –dijo él levantando de pronto la cabeza.

–Por supuesto que lo estoy. ¿Quién no lo estaría en mi caso? Pero no había nada en esos consejos que pudiera molestar a alguien.

–Eso crees tú pero hay locos por ahí –dijo él depositando la botella vacía sobre el mostrador.

–Pero no he recibido ningún e-mail de un loco, ni tampoco llamadas. He comprobado dos veces ambas cosas –contestó Randi. Kurt asintió y ésta se dio cuenta de que probablemente también él hubiera comprobado esa información.

–Pues tiene que haber una razón. Algo no encaja –dijo Kurt dándole vueltas al asunto–. Escribes en una revista con un pseudónimo.

–Nada controvertido.

–¿Y qué me dices del libro que estás escribiendo? –dijo él entornando los ojos.

Randi titubeó. El manuscrito que estaba escribiendo no estaba terminado y le había costado mucho mantenerlo en secreto mientras investigaba un asunto de sobornos en el circuito de rodeo. Fue entonces cuando conoció a Sam Donahue, un amigo de sus hermanos, como él había dicho. Finalmente había resultado ser sólo un conocido y, por alguna razón, se había enamorado perdidamente de él aun a sabiendas de que era un chulo y que parte de su encanto residía en el halo de peligrosidad que lo rodeaba. Se había acostado con él y se había quedado embarazada.

Una bendición disfrazada. De no haber sido por su malhadada relación con Sam nunca habría tenido a Joshua y ese niño era la luz de su vida.

–¿Qué hay en ese libro que pueda resultar tan importante para alguien?

–Lo sabes de sobra.

–Sé que habla del ambiente de los rodeos.

–Es algo más que eso en realidad –dijo ella inclinando la cabeza y cerrando los ojos–. Trata los dos lados de los rodeos, el bueno y otro más oscuro. Especialmente éste. Mis investigaciones me llevaron a las drogas, los malos tratos a los animales, las trampas y los sobornos.

–Déjame adivinarlo: la mayoría de esa información te la proporcionó Sam Donahue.

–Parte –admitió Randi abriendo los ojos y viendo que Kurt estaba frunciendo el ceño como si la sola mención de Sam Donahue lo llenara de furia–. Pensaba dar nombres y supongo que eso puso nerviosas a algunas personas. Pero lo cierto es que nadie supo en ningún momento qué estaba haciendo.

–¿Ni siquiera Donahue?

–Le dije que eran unos artículos sobre las tradiciones americanas y los rodeos eran parte de esa tradición. A Sam no le interesaba mi trabajo.

–¿Por qué no?

–No lo sé –dijo ella volviendo la atención hacia Kurt. El fuego ardía lanzando sombras doradas que proporcionaban al salón una sensación de familiaridad muy confortable. Encendió una lámpara que había junto a la mesa con la intención de romper el hechizo–. Tal vez fuera porque Sam era un egocéntrico al que sólo le interesaba su propia vida.

–Encantador –se burló Kurt.

–Eso pensé yo. Al principio. Pero dejé de hacerlo muy pronto. Cuando sospeché que estaba embarazada me di cuenta de que no funcionaría.

–¿Qué dijo él?

–Nada. Nunca se lo dije.

–No se lo dijiste.

–¿No hemos hablado de esto antes?

Striker la miró como si fuera a decir algo, pero se contuvo.

–Además –añadió Randi con más amargura todavía–, supongo que ahora estamos empatados. Se le «olvidó» decirme que no estaba divorciado de su segunda mujer cuando empezó a salir conmigo –Randi arrugó la nariz y volvió a sentirse tan estúpida como cuando se enteró de que Sam le había mentido. Se había enamorado perdidamente de él y había creído todas sus palabras.

Notó el rubor incluso en el cuello. Ella siempre se había sentido orgullosa de su inteligencia innata,

71

pero en lo que se refería a los hombres siempre había sido una idiota. Había elegido siempre al menos indicado, había confiado en ellos y se había enamorado perdidamente. Desde Teddy Sherman, el ayudante que su padre había tenido en el rancho cuando ella tenía sólo diecisiete años hasta el poeta y el músico en la universidad, y finalmente Sam Donahue. Por eso había decidido que no iba a volver a repetirlo, por mucho que ese maldito Kurt Striker amenazara con atravesar sus defensas.

Kurt se acercó al fuego y movió los troncos con el atizador haciendo que las chispas chisporrotearan. Randi lo observó y de nuevo sintió la quemazón del deseo que experimentaba siempre que estaba cerca de él. Había algo diferente en él, una fuerza de carácter que ninguno de los otros hombres a los que había conocido poseía. Todos ellos habían sido unos soñadores, y en el caso de Donahue un caradura, pero no creía que Kurt fuera ninguna de las dos cosas. Parecía tener los pies en la tierra y ser extremadamente sincero. Tenía los ojos claros, anchos hombros, y una sonrisa, cuando la mostraba, más divertida que maliciosa. Un tipo totalmente nuevo para ella. De hombre a mujer, cara a cara, sin mirarla por encima del hombro y también sin elevarla hasta un pedestal del que inevitablemente caería.

–¿Qué piensas entonces de tu hijo? –preguntó súbitamente mientras se incorporaba y se sacudía las manos.

–Que estoy loca por él, claro.

–¿Crees realmente que está a salvo con tu amiga Sharon?

–No lo habría dejado con ella si no lo creyera.

–Me sentiría mejor si estuviera contigo. Conmigo.

–Nadie me siguió a casa de Sharon. No mucha gente sabe que somos amigas. Compartíamos habitación en la universidad y se mudó aquí el año pasado. Yo... de verdad creo que estará más seguro con ella. La he vuelto loca a llamadas. Piensa que estoy paranoica y no estoy muy segura de que no tenga razón.

–La paranoia no es algo tan malo. No en este caso –dijo Striker al tiempo que metía la mano en el bolsillo de la chaqueta y sacaba el móvil. Unos segundos después ordenaba a alguien que vigilara el apartamento de Sharon Okano y que averiguara algo sobre Sam Donahue–. ... está bien. Quiero saber dónde estuvo el día que Randi tuvo el accidente y cuando intentaron asesinarla en el hospital... Sí, sé que tiene una coartada, pero compruébalo y no olvides averiguar algo de los tipos con los que suele ir. Podría tratarse de un encargo... No sé. Empieza por Marv Bates y Charlie... ¿cuál era su apellido? Charlie...

–Caldwell –dijo Randi temblando al oír hablar de aquellos hombres que había conocido a través de Sam.

–Eso es. Charlie Caldwell. Comprueba si hay antecedentes. Vale. Estaré en el móvil –siguió Kurt dirigiéndose hacia el escritorio–. Estaré en el apartamento de Randi, pero será mejor que no usemos la línea de teléfono fijo. Lo he comprobado y no parece que esté pinchado, pero no estoy seguro.

Randi sintió que la sangre se le helaba al pensar que alguien pudiera haber entrado en su casa mientras ella estaba fuera para pincharle la línea. Striker tampoco había tenido problemas para entrar. Tal vez no hubiera sido el primero. Observó sus posesiones con nuevos ojos. El sofá, el sillón y la otomana imitando piel de leopardo, una mecedora antigua, y la máquina de coser de su bisabuela colocada junto a la ventana. Se fijó en el espejo que había heredado de su madre, colgado encima de la chimenea, con una esquina desconchada y en sus plantas: los cactus estaban bien, pero el helecho estaba prácticamente seco. Todo parecía en su sitio.

Y sin embargo algo no funcionaba. Algo que no podía asegurar. Era la sensación angustiosa de que alguien la estaba observando y dirigió la vista hacia el Jeep.

–Hasta luego –Striker cerró la tapa del móvil y miró a Randi que se dirigía hacia el escritorio para comprobar que todo seguía en su sitio.

En ese momento el teléfono sonó y dio un salto de impaciencia. Descolgó el auricular sin dejar que sonara una segunda vez.

–Diga –contestó segura de que al otro lado una voz quejumbrosa la amenazaría.

–¡Así que ya estás en casa!

Randi dio un suspiro de alivio al reconocer la voz de Slade.

–Pensé que al menos tendrías la deferencia de llamarnos para decir que habías llegado bien –la riñó y Randi sintió un pinchazo de culpa.

–Supongo que se me han acumulado las cosas que hacer –contestó Randi sonriendo al pensar en sus hermanos, los mismos que una vez habían tenido celos de ella y que ahora se preocupaban demasiado por ella.

–¿Va todo bien?

–Hasta ahora sí, aunque tienes que darme algunas explicaciones.

–Oh-oh.

–Y Matt y Thorne también.

–Nos lo imaginamos.

–¿Quién creéis que sois para contratar a un guar-

74

daespaldas para mí sin consultarme? –preguntó mirando el reflejo de Kurt Striker de pie tras ella en el espejo. Sus ojos se cruzaron y sintió que algo en la mirada de él penetraba en ella hasta el alma.

–Necesitas ayuda… –trataba de explicar Slade.

–Quieres decir que necesito un hombre que me vigile –lo interrumpió ella de nuevo irritada. Frustrada, volvió la vista hacia la ventana, más allá del espejo, hasta ver las aguas turbulentas del lago Washington–. Pues para tu información, querido hermano, puedo cuidarme yo sola.

–Sí, ya –el sarcasmo de Slade era profundo.

–Te lo digo en serio –dijo ella cuadrando los hombros en un gesto involuntario.

–Y nosotros también.

Randi oía la conversación que tenía lugar a espaldas de Slade, no sólo voces masculinas, sino otras también, las de sus cuñadas, sin duda, y el acento español más agudo que sólo podía ser de Juanita.

–Dígale que tenga cuidado. ¡Santo Dios! ¿En qué estaría pensando para salir de aquí así?

–¿Lo has oído? Juanita dice…

–Ya la he oído –Randi sintió una punzada de morriña, algo del todo ridículo. Aquélla era su casa. Tenía una vida en Seattle, en el periódico, en su apartamento, y aun así, al mirar a través de la ventana las borlas espumosas del lago, se preguntó si no habría sido un error regresar a la ciudad de la que se había prendado unos años antes. A ella le gustaban las multitudes. El ruido. El arte. La historia. El olor del mar cuando salía a pasear o a correr.

Pero sus hermanos no estaban allí con ella. Ni tampoco Nicole, Kelly ni Jaime, sus cuñadas. Habían trabado una gran amistad y las echaba de menos, igual que a las niñas de Nicole, el rancho y…

De pronto, sintió una rigidez en la espalda y apartó de su mente todos esos sensibleros pensamientos. Estaba haciendo lo correcto. Tratar de recuperar su vida y descubrir quién estaba tan interesado en hacerle daño.

–Di a todos que estoy bien, ¿vale? Soy mayor y no me ha parecido bien que vosotros tres hayáis decidido contratar a Striker.

–Pues ya no hay remedio –dijo su hermano encendiendo de nuevo su enfado.

Volvía a dolerle la cabeza, estaba cansada y quería meterse en la cama y no despertar jamás, pero sobre todo, deseaba colarse por el teléfono y dar a sus hermanos un buen tirón de orejas.

–¿Sabes, Slade? Cuando quieres puedes ser muy irritante.

–Eso intento –respondió su hermano con el tono de vaquero que siempre acompañaba de un brillo en los ojos.

–Muy bien, Slade. ¿Quieres hablar con tu nuevo empleado? –sin esperar a la respuesta le dio el teléfono a Kurt y salió hacia su habitación. Aquello era una verdadera locura, pero estaba harta de seguir discutiendo por ello. Había decidido seguir con su vida. Tenía un hijo del que cuidar y un trabajo que hacer.

«¿Pero qué ocurrirá si tienen razón y alguien está detrás de ti, o de Joshua? ¿Acaso no crees que alguien ha entrado en casa?»

Echó un vistazo por la habitación. Nada parecía estar fuera de lugar. Levantó la vista hacia el espejo y vio una sombra de miedo en sus ojos. Odiaba aquella sensación.

En ese momento escuchó pasos que se acercaban y vio a Kurt caminando por el pasillo hasta detenerse en la puerta.

Sintió la boca seca como el papiro y se humedeció los labios en un movimiento involuntario. Un brillo se reflejó en los ojos de Kurt, de desesperación y deseo.

Por un momento, ambos se sostuvieron la mirada. A Randi comenzó a acelerársele el pulso, los latidos del corazón le retumbaban en la cabeza. Volvió a sentir el mismo deseo arrebatador que había sentido la noche anterior.

Sabía que le bastaría una mirada, un movimiento, un susurro y Kurt entraría, cerraría la puerta, la tomaría en sus brazos y la besaría como nunca la habían besado antes. Sería brusco, salvaje, desesperado y harían el amor durante horas.

Kurt apretó los labios.

Dio un paso en dirección a ella.

Randi apenas podía respirar.

Kurt tomó el pomo de la puerta.

Randi notó que las rodillas le flaqueaban.

Lo deseaba con toda el alma. No podía dejar de imaginárselo acariciándola, sintiendo el calor de su cuerpo junto a ella en la cama.

—Kurt, yo…

—Calla, preciosa —dijo él con voz ronca—. Ha sido un largo día. Descansa un poco —y le guiñó un ojo haciendo que el corazón casi se le rompiera—. Estaré en el salón si me necesitas —y salió de la habitación cerrando la puerta. Randi escuchó sus pasos retumbando por el pasillo.

Lentamente dejó escapar el aire que había estado conteniendo y se dejó caer en la cama. La decepción se mezclaba con el alivio. Había sido un error de proporciones épicas hacer el amor con él. Ella lo sabía. Ambos lo sabían. Entró en el cuarto de baño con las piernas aún temblorosas y abrió el

armario de las medicinas. Sacó un tubo de ibupro-
feno y se detuvo en seco.

¿Y si alguien había estado realmente en su casa?

¿Y si alguien había estado fisgoneando en sus
medicamentos?

—Ahora sí que te estás volviendo paranoica
—murmuró mientras arrojaba las pastillas por el
inodoro y tiraba de la cadena.

Y tal vez fuera cierto. Pero estaba viva. Regresó al
dormitorio y se metió bajo el edredón decidida a
trabajar con Striker o contra él. Aunque, trabajar
con él sería mucho más interesante.

Juntos podrían aclarar la pesadilla en que se había convertido su vida.

Capítulo Ocho

Su cuerpo duro yacía junto al de ella, los músculos poderosos y la piel que los cubría tirante y suave cuando se apoyó sobre el codo para observarla. El fuego de la seducción brillaba en sus ojos verdes en una mirada que la hacía estremecerse de expectación ante los placeres que la esperaban. Él recorrió el contorno de su cuerpo con un dedo de piel rugosa. Ella respondió irguiéndose, y los pezones se le endurecieron bajo la mirada atenta de él. En ese momento, él se inclinó hacia ella y rozó la suave piel femenina con su mejilla rasposa por la barba incipiente. En su interior, ella notó cómo las oleadas de placer la invadían.

Aquello no estaba bien. No debería estar en la cama con Kurt Striker. ¿En qué había estado pensando? ¿Cómo había ocurrido algo así? Apenas conocía a aquel hombre... y sin embargo, el deseo que sentía hacia él era demasiado intenso, hacía que todo su interior chisporroteara, y hasta la hacía olvidar sus reservas, de forma que cuando Kurt se inclinó para besarla, supo que no podría resistirse, que perdería el control por completo...

Un ruido fuerte la arrancó de su sueño. No sabía dónde estaba. Estaba oscuro y hacía frío. Ella estaba sola en la cama, su cama, y tenía la sensación de haber estado durmiendo durante horas, el estómago le rugía hambriento.

–Vamos, Bella Durmiente –dijo Kurt desde la puerta. Randi pestañeó y al incorporarse lo vio en el marco de la puerta, su cuerpo se recortaba contra la luz titubeante proveniente de la chimenea del salón. En relieve, parecía más alto y fuerte. El tipo de hombre que ella tenía que evitar.

Se dio cuenta entonces de que sólo había estado soñando que hacía el amor con él. Sin embargo, su cuerpo lo deseaba.

—¿A qué viene tanta prisa? —acertó a decir tratando al tiempo de desembarazarse de los restos del sueño erótico que había tenido aunque una parte de ella quería poder volver a cerrar los ojos y retomarlo donde lo había dejado—. ¿Qué ha pasado con todo eso de que había sido un largo día y necesitaba descansar? —preguntó con sarcasmo.

—Ya has descansado suficiente. Llevas durmiendo dieciocho horas. Ahora hay que moverse.

—¿Qué? Dieciocho horas… no… —miró el reloj que tenía en la mesilla y vio que marcaba las tres pasadas—. No podría haber… —pero el terrible dolor de vejiga y el mal sabor de boca le decían lo contrario. Pensó en lo terriblemente tarde que llegaría al trabajo—. Me despedirán si no lo han hecho ya. Dame un segundo.

Se levantó como pudo de la cama y fue al cuarto de baño. Cerró la puerta, encendió la luz y no le gustó nada la imagen que le devolvió el espejo. En cuestión de minutos se lavó la cara, se cepilló los dientes y se humedeció el pelo corto y limpió los restos de rímel que oscurecían sus ojos.

Afortunadamente ya no le dolía la cabeza y podía pensar con más claridad cuando abrió la puerta del baño y encontró a Kurt apoyado contra el marco mirándola con una cara extraña.

—¿Qué pasa? —preguntó Randi con un bostezo y de pronto lo supo. Fue como si se quedara sin respiración—. Mi bebé. Joshua. ¿Qué pasa? ¿Está bien?

—Está bien.

—¿Cómo lo sabes?

—Tengo a alguien vigilando la casa de Sharon Okano.

Randi se quedó petrificada y de pronto el horror más angustioso la invadió.

—Estás totalmente seguro de que podría estar en peligro, ¿verdad?

—Digamos que no quiero correr riesgos.

Se puso un zapato y a continuación miró debajo de la cama en busca del otro. Striker se movía entre las sombras y Joshua estaba bien. Tenía que estarlo.

—Donahue está en la ciudad.

Randi se incorporó. Fue como si le hubiera caído encima una tonelada de ladrillos, pero trató de mantenerse serena.

—¿Cómo lo sabes?

—Lo han visto.

—¿Quién?

—Alguien que trabaja para mí.

—Que trabaja para ti. ¿Es que mis hermanos han contratado a toda una plantilla de guardas de seguridad o qué?

—Eric Brown y yo nos conocemos desde hace años. Él está vigilando la casa de Sahron.

—¿Qué? Espera. ¿Tienes a alguien vigilándola?

—No estoy dispuesto a correr riesgos —dijo él poniéndose rígido.

—¿No crees que alguien merodeando por los alrededores atraerá la atención? Como si estuviera ondeando una bandera roja.

—Es algo más discreto que eso.

Randi sacudió la cabeza mientras trataba de mantener a raya el pánico que iba creciendo poco a poco en su interior.

—Espera un minuto. No tiene sentido. Sam no

sabe nada de Joshua. No tiene ni idea de que me quedé embarazada... y probablemente no le habría importado de haberlo sabido.

–Eso crees.

–Estoy casi segura –dijo ella irguiéndose.

–¿Entonces por qué se le ha visto pasar por el piso de Sharon Okano?

–Oh, Dios, no lo sé –dijo Randi, todo resquicio de calma que pudiera quedar en ella se había evaporado. Tenía que ir con su bebé, comprobar que no le había pasado nada. Se dirigió como una bala al armario–. Todo esto no tiene sentido –murmuró mientras sacaba la chaqueta. Miró los zapatos que tenía allí y vio un par de botas de vaquero negras, unas botas que no se había puesto desde el instituto. Eran las botas que su padre le había regalado y que nunca había tenido la fuerza para tirar. Un escalofrío le heló la sangre en las venas al comprobar que el polvo no las cubría como a los otros zapatos.

–¡Santo Dios! –exclamó.

–¿Randi? ¿Qué ocurre?

–Alguien ha estado aquí –dijo con miedo y furia al tiempo–. Quiero decir que... a menos que tú te hayas metido en mi armario y te hayas puesto mis botas.

–¿Tus botas? –preguntó él mirando dentro del armario.

–No las había tocado en mucho tiempo y mira...

–Seguro que no... –dijo él que ya se había inclinado y estaba comprobando por sí mismo lo que Randi pretendía decirle.

–No. ¡Te estoy diciendo que alguien ha estado aquí! –exclamó ella presa del pánico conteniéndose las ganas de golpear algo. Nadie tenía el derecho a entrar en su casa. Nadie.

–¿Quién más tiene una llave?

–¿De esta casa?

–Sí.

–Sólo yo.

–¿Y Donahue no?

–¡No!

–¿Ni Sharon o tus hermanos?

Randi sacudió la cabeza con violencia. Aquel hombre debía estar tonto.

–Te digo que no le he dejado la llave a nadie, ni siquiera para que entraran a regarme las plantas.

–¿Qué me dices de un vecino, por si perdieras la tuya?

–¡No! Por Dios, Striker, ¿no me entiendes o qué? Sólo yo la tengo. Incluso cambié la cerradura cuando compré la casa.

–¿Dónde guardas copias?

–Llevo una conmigo. Otra está en el coche. Otra en el primer cajón del escritorio.

Striker ya se dirigía hacia el salón con Randi tras él.

–Enséñamela.

–Aquí –dijo ella extendiendo el brazo y metiendo la mano en el cajón palpó el interior hasta dar con la llave–. Justo donde la dejé.

–Y la otra está en tu coche.

–No lo sé. Estaba cuando sufrí el accidente. Supongo que estará entre los amasijos.

–¿No se lo preguntaste a la policía?

–Estaba en coma, ¿recuerdas? Cuando me desperté estaba hecha un desastre, tenía huesos rotos, heridas internas y amnesia.

–La policía hizo inventario de todo lo que había en el coche así que de estar la llave en el coche, la habrían encontrado –insistió Kurt.

–Yo… No estoy segura, pero no creo que estuviera en el informe. Lo vi. Incluso tengo una copia, en algún sitio.

–¿En el rancho tal vez?

–No… lo recogí todo cuando salí de allí. Debe estar por aquí en algún sitio –dijo ella buscando en los bolsillos del maletín hasta dar con un sobre. Dentro había una copia del informe de la policía sobre el accidente y un recibo del inventario de lo encontrado en el coche. Leyó rápidamente lo que decía.

Mapas de carreteras, registro, información de seguros, dinero suelto, unas gafas de sol, una botella de limpiacristales, objetos varios pero nada de una llave.

–Parece que no la encontraron.

–Y tú tampoco preguntaste.

Randi se giró hacia él haciendo una bola con el papel dentro de su mano cerrada.

–Ya te lo he dicho, estaba en la cama. No se me ocurrió.

–Demonios –Kurt apretó los labios y entornó los ojos con gesto furioso–. Vamos –dijo a continuación guardándose la llave en el bolsillo y cerrando el cajón se dirigió hacia el dormitorio. De tres zancadas estaba en el armario de nuevo. Sacó una bolsa de viaje, la abrió y se la entregó a Randi–. Haz la maleta. Sólo unas cuantas cosas. Rápido. Y no toques las malditas botas –dijo y desapareció de nuevo, esta vez en la cocina de donde regresó con una bolsa de plástico y comenzó a pasarla meticulosamente por la superficie de las botas–. Ya he guardado tu portátil y el maletín en mi camioneta.

Randi lo comprendió todo de golpe. Striker quería que se marchara de allí. En ese preciso instante. La miraba con la mandíbula en tensión, su expresión dura como el granito.

—Espera un momento. No voy a abandonar la ciudad. Todavía no.

Las cosas estaban yendo demasiado deprisa, estaba perdiendo el control.

—Acabo de regresar y no puedo irme de nuevo. Tengo responsabilidades y una vida aquí —añadió Randi.

—Estaremos fuera una o dos noches, hasta que las cosas se calmen un poco.

—¿Estaremos? ¿Tú y yo?

—Y tu bebé.

—¿Y adónde iremos?

—A algún lugar seguro.

—Ésta es mi casa.

—Y alguien ha entrado en ella. Alguien que tiene la llave.

—Puedo cambiar la cerradura, Striker. Tengo un trabajo y una casa y…

—Y alguien te está siguiendo.

Randi abrió la boca para discutir pero volvió a cerrarla. Tenía que proteger a su hijo. No importaba cómo. Y la preocupación de Striker no hacía sino aumentar su ansiedad y algo le decía que no era un hombre que se preocupara fácilmente. Comenzó a meter ropa en la bolsa.

—No puedo correr riesgos con Joshua —dijo.

—Lo sé —dijo él y su voz tenía un toque de dulzura bajo el profundo timbre, pero Randi se obligó a recordar que a él le pagaban por preocuparse de las cosas.

—Vamos —añadió.

Randi iba a discutir. Estaba claro que Striker había vivido más de una situación crítica en su vida. Si realmente consideraba que era necesario llevarla a ella y a su hijo a un lugar seguro, sería lo mejor. Cerró la bolsa y tomó una chaqueta de ante de la percha. ¿Era su imaginación o la prenda olía ligeramente a humo de cigarrillo?

Estaba empezando a sentirse paranoica. Nadie se había puesto su chaqueta. Era una locura.

Apretó los dientes y luchó contra la sensación de que alguien había invadido su privacidad.

–Supongo que tienes algún plan.

–Sí –dijo él poniéndose de pie después de guardar las botas.

–Y que vas a contarme de qué se trata.

–Todavía no.

–¿No puedes decírmelo?

–Ahora no.

–¿Por qué no?

–Será mejor que no lo sepas.

–Estupendo. Mejor dejar a la pobrecita en la incertidumbre. Siempre es una buena idea –dijo ella con tono sarcástico.

Kurt apretó los labios aún más, la mandíbula tensa, la expresión dura. Y entonces se le ocurrió a Randi.

–Espera un poco. ¿Piensas que han puesto micrófonos en la casa? –continuó. Al ver que Striker no le respondía sacudió la cabeza sin poder creerlo–. No puede ser.

–Vamos –dijo lanzándole una mirada cortante como una hoja.

Randi no discutió y tomó su bolso. En cuestión de minutos estaban dentro de la camioneta de Kurt saliendo del aparcamiento. La lluvia del día anterior había cesado, pero el cielo seguía estando cubierto de nubes grises que se deslizaban hacia el interior procedentes del Pacífico. Randi miró por la ventana, pero su mente estaba inquieta. No podía dejar de pensar si Sam sabría de la existencia de Joshua. Era posible que alguien le hubiera dicho que había tenido un hijo, pero dudaba mucho que se le ocurriera que fuera él el padre. Lo cierto era que no le importaría. Nunca le había importado. Tamborileó con los dedos en el cristal.

–No sé por qué piensas que porque Donahue esté en la ciudad Joshua no estará a salvo. Si lo han visto en el coche, habrá sido una coincidencia. Créeme, a Sam Donahue no le importa lo más mínimo ser el padre de un hijo bastardo más –dijo Randi apoyándose contra la puerta del coche.

–La camioneta de Donahue ha sido vista en las inmediaciones de la casa de Sharon Okano dos veces esta tarde. No sólo una. Yo no llamaría coincidencia a eso, ¿no crees?

–No –dijo Randi, la boca seca y los dedos agarrotados por la tensión.

–He comprobado la matrícula. Eso es lo que llamó la atención de Brown. Es de otro estado: Montana.

Randi sintió que su mundo se venía abajo. Se agarró con fuerza la cadena que llevaba al cuello.

–Pero casi nunca está allí, en Montana –dijo Randi–, y yo no le conté lo de Joshua.

–No importa quién se lo haya dicho. Podría haberlo averiguado con bastante facilidad. Tiene conocidos en Grand Hope. Padres, una ex mujer o dos. Los chismorreos circulan con mucha rapidez. No hay que ser ingeniero aeronáutico para comprobar la fecha del nacimiento –Striker maniobró entre el denso tráfico acelerando y frenando de golpe al ver en la distancia las luces de un coche de policía.

–Genial –murmuró Striker tomando la siguiente salida. Sacó el móvil de la chaqueta y marcó. Unos segundos más tarde, hablaba con alguien: –Estamos en un atasco. Ha habido un accidente. Tardaremos un poco. Quédate donde estás y llámame si hay señales de Donahue.

Randi escuchaba intentando no dejar que el pánico la absorbiera. Sam Donahue estaba cerca. Ella sabía que a veces iba a Seattle. Alguna vez se habían visto en un bar mientras ella hacía averiguaciones para su libro.

–Bien. Mantente alerta. Llegaremos lo antes posible –seguía diciendo Striker y cerró el móvil–. Donahue no ha vuelto a aparecer –dijo mirándola.

–Tal vez debería llamarlo.

–¿Y por qué demonios querrías hacer tal cosa? –preguntó Kurt, la mandíbula tensa, la mirada fija en la luna del coche.

–Para averiguar qué está haciendo en la ciudad.

–Quieres llamar al tipo que trata de asesinarte –dijo Striker con los ojos entornados.

–No sabemos si es él quien trata de matarme –dijo ella sacudiendo la cabeza y se reclinó sobre el asiento–. No tiene sentido. Incluso si supiera de la existencia de Joshua, Sam no querría tener nada que ver con él.

–¿Entonces por qué rompisteis? Espera un momento, empecemos por el comienzo. ¿Cómo acabasteis juntos?

–Yo siempre había querido escribir un libro y mis hermanos, aunque me habían exaltado el mundo del rodeo, también me habían hablado del lado sórdido de los circuitos. De las apuestas ilegales, de cómo algunos participantes tenían que dejarse vencer, otros drogaban a los caballos o los de sus competidores. Los animales recibían malos tratos. Es un deporte violento que atrae a los hombres muy «machos» y a mujeres a las que les gusta la competitividad. Existen grupos de seguidores, se forman peleas en los bares y hay mucha droga. Muchos de esos vaqueros sufren dolores crónicos y están en peligro constante de ser pisoteados, aplastados y corneados. Me pareció que podría ser un buen tema y comencé a entrevistar a la gente. Así conocí a Sam Donahue –Randi parecía atragantarse al decir su nombre–. Había crecido en Grand Hope, conocía a mis hermanos, incluso había competido con Matt. Comencé a entrevistarlo, una cosa llevó a la otra y… ya conoces el resto.

–¿Cómo llegaste a él?

–Había leído mucho sobre los circuitos locales en Centralia. Él había participado y pude conseguir su número. Lo llamé y aceptó tomar una copa. Mis hermanos no sentían mucho aprecio por él, pero a mí me pareció un tipo interesante y encantador. Conectamos rápidamente al saber que habíamos nacido en Montana los dos y yo estaba saliendo de una mala relación así que no le resultó difícil. Ahora probablemente diría que fue un error, si no fuera por Joshua. Por mi hijo bien merecen la pena los sufrimientos que padecí.

–¿Qué tipo de sufrimientos? –preguntó Striker, la mandíbula tensa y dura como una roca.

–Bueno, ya sabes, me dolió averiguar que su ex mujer no era tal, sino más bien su mujer. Sam no llegó a firmar nunca los papeles de divorcio –dijo Randi. Se sentía ridícula por haber creído a aquel cretino. Debería haber hecho más averiguaciones sobre él, haber estado atenta a las señales, porque ella siempre había llevado muy en serio lo de salir sólo con hombres solteros.

–Entonces no sabías que estaba casado.

–Exacto –respondió ella–. Sabía que estaba divorciado de su primera mujer, Corrine. Patsy era su segunda mujer. Supongo que seguirá siéndolo. Cuando supe que estaba casado me fui –dijo Randi haciendo dibujos en el cristal empañado.

–Lo amabas –dijo él. La afirmación a la que ella no podía enfrentarse.

Striker agarraba con violencia el volante como si la respuesta de Randi le importara más de lo debido.

–Pensé que lo amaba, pero… incluso cuando salíamos juntos, yo sabía que no estaba bien. Sabía que algo no funcionaba –dijo ella. Le resultaba difícil explicar las emociones que se atropellaban en su mente–. El problema fue que para cuando lo descubrí ya estaba embarazada.

–Entonces decidiste llevarte al niño y guardar el secreto.

–Sí –admitió Randi aliviada al poder quitarse aquella carga de encima. Habían llegado a la casa de Sharon Okano. Randi dudó si contarle el resto de la historia y finalmente decidió confiar en él–. Además de ocultarme que estaba casado, Sam también olvidó contarme que él y algunos de sus amigos habían drogado a los animales de los otros concursantes justo antes de una competición. Un toro reaccionó de forma violenta hiriendo al vaquero que lo montaba. Tuvieron que sacrificarlo después de que el hombre quedara aplastado bajo el animal. Sobrevivió de milagro. Acabó con varias costillas rotas, la cadera astillada, la pelvis aplastada y el bazo perforado.

–¿Y por qué no arrestaron a Donahue?

–Por falta de pruebas. Nadie lo vio hacerlo. Él y sus amigos tenían coartada –Randi miró a Striker mientras aparcaba frente al apartamento de Sharon–. Nunca admitió haber drogado al animal y yo no estoy segura de que no fuera uno de sus amigos quien le inyectó la droga, pero de lo que sí estoy segura es de que él estaba detrás del asunto. Tuve la sensación por la forma en que hablaba del incidente –Randi se castigó por haber sido tan estúpida y se quedó mirando por la ventanilla del coche–. Ya había decidido no volver a verlo y para colmo descubrí que estaba casado. Buena pieza, ¿no?

–Yo no diría tanto –contestó él apagando el contacto del coche.

–Lo sé –dijo ella sintiendo el dolor de antaño, aunque estaba decidida a no hundirse. No, delante de Kurt Striker–. Elegir hombres no es mi mayor virtud.

–Uno más, Randi –dijo él poniéndole la mano en el hombro–. Te mereces algo mejor que Donahue.

Randi lo miró y vio que él también la estaba mirando y bajo la dura fachada, oculto en sus ojos, vio una chispa de comprensión, de empatía.

–Vamos. Tu pequeño nos espera –continuó Kurt ofreciéndole una leve sonrisa que sólo duró unos segundos porque al momento se desvaneció y el instante de conexión entre ambos pasó.

Randi fue testigo de cómo se le encogía el corazón y las lágrimas pugnaban por inundar sus ojos.

Salió del vehículo como un rayo y subió las escaleras de la casa de Sharon de dos en dos. Ansiosa de pronto por ver a su hijo golpeó con fuerza la puerta. Sharon, una mujer menuda, apareció en la puerta con un Joshua con cara soñolienta en brazos, como si acabara de despertarse, el suave cabello de color rojizo revuelto, y se rió alegre al ver a su mamá. El corazón de Randi se abrió como una flor por la alegría de ver a su pequeño. Las lágrimas que antes había contenido, salieron esta vez a la superficie.

–¿Cómo está mi grandullón? –acertó a decir Randi con voz poco más alta que un susurro.

–Te echaba de menos –dijo Sharon mientras le pasaba al niño.

–No tanto como yo a él –contestó Randi abrazando al bebé, feliz de volver a tenerlo entre sus brazos, absorbiendo el aroma de su champú y escuchando los sonidos que escapaban de sus pequeños labios, cuando de pronto escuchó una tos a sus espaldas. Oh... éste es Kurt Striker. Sharon Okano. Kurt es amigo de mi hermano Slade. Todos mis hermanos decidieron contratarlo como guardaespaldas. ¿Puedes creerlo? –dijo esto último arqueando un poco la ceja.

–¿Guardaespaldas? –repitió Sharon alzando las cejas–. ¿Tan serio es el asunto en el que estás metida?

–Bastante, supongo. Kurt cree que será mejor que Joshua esté con nosotros.

–Como quieras –dijo Sharon acariciando con suavidad la mejilla de Joshua–. Es un encanto. Creo que si lo dejas más tiempo conmigo no podré devolvértelo.

–Deberías tener tú un hijo.

–Pero primero un hombre, ¿no te parece? Creo que es parte necesaria de la ecuación –contestó Sharon mirando a Kurt pero Randi no hizo caso de la insinuación. No necesitaba a un hombre para criar a su hijo. Lo haría bien ella sola.

No se quedaron mucho tiempo. Mientras ellas guardaban las cosas de Joshua, Kurt le preguntó a Sharon si había recibido llamadas de algún extraño o visitas inesperadas. Cuando Sharon le dijo que nada de eso había ocurrido, Kurt llamó a su socio y en quince minutos Randi, Kurt y Joshua estaban en el coche y se dirigían hacia las afueras de Seattle. Había empezado a llover de nuevo.

–¿No vas a decirme adónde vamos?

–Hacia el interior.

–Eso ya lo sé, ¿pero adónde exactamente? –preguntó ella y al ver que no obtenía respuesta continuó–: Tengo que trabajar, ¿recuerdas? No puedo estar fuera de la ciudad constantemente –miró el reloj y frunció el ceño al ver la hora. Sacó entonces el móvil del bolso y llamó al periódico. Dejó un mensaje en el buzón de voz de su jefe diciéndole que había tenido una urgencia familiar y prometiéndole escribir un par de columnas para su sección.

–No sé si se lo va a tragar, pero nos dará al menos un par de días –continuó Randi cuando colgó el teléfono.

–Tal vez sea suficiente –dijo él pisando a fondo el pedal del acelerador, pero su voz no sonaba muy convencida.

–Escucha, Striker, tenemos que acabar con esto ya –dijo Randi–. Necesito recuperar mi vida.

–Yo también –dijo él y su mirada la penetró hasta el alma.

«La muy zorra no va a salirse con la suya».

Tres coches por detrás, la persona que había intentado asesinarla en dos ocasiones, conducía con cuidado, las manos enguantadas sobre el volante que sujetaba con furia, mientras escuchaba un CD de los ochenta. La voz de Jon Bon Jovi llenaba el habitáculo. La camioneta en la que Randi iba estaba pasando por el puente que cruzaba el lago Washington. El acosador se preguntaba adónde se dirigían. Tal vez a la zona residencial de alto nivel de Bellvue o tal vez a los alrededores del lago Sammamish, o a las montañas.

Pero no importaba.

El destino de Randi McCafferty iba a convertirse en su retiro final.

Capítulo Nueve

–Prepara a Joshua para salir –dijo Kurt mientras tomaba una salida de la autopista. Comprobó en el retrovisor que nadie los seguía y se dirigió hacia el oeste, giró en redondo y tomó la dirección de Seattle de nuevo.

–¿Qué estamos haciendo? –preguntó Randi.

–Cambiar de coche –contestó él. Pulsó el intermitente y se situó en el stop, asegurándose de que no había otro coche tras él giró hacia una gasolinera.

–¿Cómo? ¿Por qué?

–No quiero correr el riesgo de que puedan seguirnos.

–¿Has visto a alguien?

–No.

–Entonces...

–Sal rápido y métete en aquel coche marrón –dijo Kurt señalando con la cabeza hacia la parte trasera de la gasolinera done había un vehículo bastante viejo con los cristales tintados–. Es de un amigo. Está esperándonos. Él se llevará éste.

–Esto es una locura –murmuró Randi, pero se limitó a sacar a su hijo de la silla y salió de la camioneta llevándolo en brazos.

–Yo no lo creo.

Striker salió también y llenó el depósito mientras Randi hacía lo que le había ordenado.

Eric los estaba esperando. Estaba hablando por

el móvil y al ver a Striker tiró el cigarrillo en un charco y le ofreció a su colega un rápido gesto de saludo. Ayudó a Randi a meter sus cosas en el coche. El intercambio no llevó más de un minuto. Segundos después, Kurt estaba sentado en el Jeep rumbo hacia el este de nuevo.

–No creo que pueda resistir todo este ajetreo mucho más –se quejó Randi. Kurt la miró. Incluso a media luz pudo contemplar sus pómulos, el perfil de su mandíbula y sus increíbles labios. Era una mujer espléndida. De una belleza intrigante, sexy como ninguna otra mujer que hubiera conocido, inteligente y dueña de una afilada lengua capaz de agujerear el ego más resistente.

–Claro que podrás.

–Sea lo que sea lo que mis hermanos te estén pagando, no es suficiente.

–Probablemente sea cierto –contestó él mirándola de nuevo pero volvió rápidamente la atención hacia la carretera. Era ya de noche, pero la lluvia había cedido un poco. Los neumáticos chapoteaban sobre el pavimento mojado y el ruido del motor, suave y continuo, los envolvía. El bebé estaba tranquilo en su silla y por primera vez en años Kurt tuvo la sensación de formar parte de una familia. Lo cual era ridículo. Aquella mujer era su cliente, y el niño formaba parte del paquete. Se obligó a recordar que sólo era su guardaespaldas. Su trabajo era protegerla y averiguar quién estaba intentando asesinarla. Nada más.

«¿Y qué dices de lo que ocurrió aquella noche en el rancho? Recuerda lo mucho que la deseabas, cómo la sedujiste. ¿Cómo podrías olvidar la excitación que sentiste al deslizar la bata que le cubría los hombros y descubrir aquellos increíbles pechos? ¿Y qué me dices de la sorpresa reflejada en sus ojos o la suavidad de sus labios abiertos cuando besaste su cuello? Recuerda el deseo que te llevó a deshacer el nudo del cinturón que ajustaba la bata. Ésta cedió y después también le quitaste el camisón y quedó desnuda ante ti, sin otra prenda que una delicada cadena de oro alrededor de su cuello. No tardaste en quitarte los vaqueros. La deseabas, Striker. Más de lo que has deseado a ninguna mujer en toda tu vida. Habrías dado tu vida por poseerla y lo hiciste, la poseíste. Una y otra vez. Te dejaste abrazar por la calidez de su cuerpo, mientras tu corazón latía con fuerza bombeando sangre a gran velocidad. Estabas tan excitado que nada podría haberte detenido. ¿Qué me dices, eh? Cediste a la tentación».

Kurt se puso tenso al recordar y su voz interior continuó tentándolo.

«Si logras convencerte de que Randi McCafferty no es más que otro cliente, es que eres más tonto de lo que crees».

Era tarde cuando el Jeep enfiló el camino pedregoso y cubierto de musgo que llevaba a lo que sólo podría considerarse una cabaña. En medio del bosque y rodeada por una verja de la que Kurt tenía llave, el lugar en cuestión hacía tiempo que estaba deshabitado. Randi sintió un escalofrío cuando los faros del vehículo iluminaron la cabaña.

–¿Estás seguro de que no quieres buscar un motel? –preguntó descorazonada–. Incluso uno de tercera sería mejor que esto.

–Todavía no –Kurt ya había puesto el freno de mano y parado el motor–. Piensa que es turismo rural.

–Claro. Rural. Y extraño –dijo ella sacudiendo la cabeza.

–Era la casa del guarda cuando ésta era una zona de tala –explicó Kurt.

–¿Y ahora? –dijo ella saliendo del Jeep y sus pies se hundieron en suelo cubierto de hojas podridas.

–La cabaña lleva tiempo deshabitada.

–Bastante diría yo. Vamos, tesoro, vamos a ver nuestra habitación –dijo Randi tomando la silla en la que llevaba a Joshua y subió los escalones del porche mientras Kurt abría la puerta de la cabaña. Trató de encender alguna luz pero el interruptor no produjo ninguna.

–Supongo que no hay corriente.

–Estupendo.

Kurt encontró una lámpara de gas y encendió una cerilla. Inmediatamente la habitación quedó inundada de una luz dorada que no podía ocultar el polvo, las telarañas y la suciedad. Olía a humedad y a cerrado.

–Hogar, dulce hogar –dijo ella con sarcasmo.

–Por ahora –pero Kurt ya estaba comprobando las habitaciones alumbrando con una linterna desde el suelo al techo–. No tendremos electricidad, pero nos las arreglaremos.

–Así que ni luz, ni calefacción ni agua caliente.

–Sólo una estufa de leña y unas lámparas de gas. Estaremos bien.

–¿Y el baño?

–Hay una vieja bomba en el porche. Si me dejas un minuto… –se interrumpió mientras buscaba un cubo en los muebles y armarios–. ¡Aquí está!

–Espera un minuto –murmuró ella.

–Vamos, eres una McCafferty. La vida de campo no debería asustarte.

–Deja que te diga algo, Striker. Esto está muuuuy lejos de ser «vida de campo».

–He oído que eras un torbellino.

–Slade habla demasiado.

–Probablemente, pero sé que solías ir de campamento.

–En verano. ¡Cuando tenía doce o trece años!

–Es como montar en bicicleta. Nunca se olvida.

–Ya veremos –dijo ella, pero no se quejó mientras sacaban el equipaje del coche. Sacos de dormir, comida enlatada, una nevera portátil, utensilios de cocina, platos de papel, un hornillo, toallas y papel higiénico–. Has pensado en todo.

–Le dije a Eric que incluyera sólo lo esencial.

–¿Qué me dices del teléfono?

–Nuestros móviles deberían funcionar aquí.

Randi buscó en su bolso y sacó el teléfono, pero el mensaje no era muy tranquilizador.

–El mío dice «buscando red» –dijo Randi y comprobó que no lo conseguía–. Tal vez el tuyo sea más potente.

Kurt le sonrió y fue como si la corriente eléctrica saliera de ellos.

–Ya lo he comprobado. Funciona.

–¿Y qué me dices de una línea de teléfono para conectar mi portátil?

–Parece que no tendrás suerte a no ser que tengas uno de esos portátiles inalámbrico.

–No.

–Entonces parece que vas a estar desconectada del mundo por unos días.

–Estupendo –murmuró–. Supongo que no importará ya que voy a perder mi trabajo después de esto.

–Mejor eso que perder la vida.

Randi iba a contestar cuando el niño empezó a llorar. Sacó unos trapos de un mueble de antes de la guerra, a juzgar por su aspecto. Joshua estaba irritado y cuando Randi se dejó caer sobre el sofá tuvo la sensación de estar oyendo el ruido de diminutas patas corriendo bajo los cojines. Se cambió a una silla y ningún ruido pertúrbador la molestó esta vez. Lo envolvió en su mantita y le dio la cena. El llanto cesó y Randi pudo disfrutar de unos segundos de relajación mientras el niño se tomaba el biberón. Experimentaba una sensación placentera cuando alimentaba a su bebé, una calma que la hacía olvidar el miedo y la preocupación. El niño la miraba mientras comía y en ese momento de unión íntima entre madre e hijo Randi siempre pensaba que su aventura con Sam Donahue había merecido la pena.

Kurt estaba ocupado comprobando la salida de humos antes de encender el fuego en la antigua estufa. Cuando por fin el fuego empezó a crepitar, se apoyó en los talones y se sacudió las manos. Randi trataba de no mirar cómo se le ajustaban los vaqueros a los muslos y el trasero; tampoco quería observar cómo el pelo indisciplinado le caía sobre la frente, ni los pómulos cincelados sobre su rostro.

Era condenadamente sexy por mucho que no le gustara.

Como si se hubiera sentido observado, se enderezó lentamente y Randi aún tuvo tiempo de un rápido vistazo a su amplia espalda mientras lo hacía. Después se acercó a un maletín de cuero negro bastante gastado y abrió la cremallera. De su interior sacó un ordenador portátil con conexión inalámbrica. Al mirarla, tintineó en sus ojos una llama de diversión.

—Podías habérmelo dicho —dijo ella.

—¿Y perderme tu gesto de sorpresa? De ninguna manera. Pero me temo que no será una solución permanente. Sólo tengo una batería extra. Nada más. Como no hay electricidad, no podemos recargarlas.

—Fantástico —dijo ella poniéndose a Joshua sobre el hombro y acariciándole suavemente la espalda para que expulsara el aire.

—Es mejor que nada.

—¿Puedo utilizarlo?

—A cambio de una pequeña tarifa —dijo él con una pequeña sonrisa.

—Cómo no.

—No me gustaría decepcionarte.

—Nunca lo haces, Striker.

—Bien. Dejémoslo así.

Joshua eructó en ese momento.

—Muy bien, cariño —dijo Randi mientras lo depositaba boca arriba sobre su manta para cambiarle el pañal. El bebé no dejaba de reír y hacer ruiditos infantiles, los ojos relucientes a la luz del fuego—. Uf, cuánta porquería. Tenemos que cambiarte, ¿eh, grandullón? —Randi jugueteó unos minutos más con el pequeño hasta que éste empezó a bostezar. Entonces lo tomó en brazos y lo acunó un poco hasta que se quedó profundamente dormido. Ya no podía imaginarse la vida sin su pequeño. Le dio un suave beso en la cabeza y lo depositó en la cuna que había hecho con varias mantas y almohadas.

—Realmente estamos en medio de la nada —añadió mirando a su alrededor.

—Ésa era la idea.

—No hay electricidad, ni agua, ni televisión, ni radio, ni siquiera libros —dijo ella pasando un dedo por la superficie polvorienta de la mesa.

—Supongo que tendremos que conformarnos y encontrar algo para entretenernos —dijo él con una expresión endiabladamente traviesa, la diversión de antes presente de nuevo en sus ojos. Randi sintió cierto alivio al comprobar que aquel hombre podía ver un punto positivo en la terrible situación en la que se encontraban aunque no le gustó nada la forma en que contuvo la respiración cuando la miró, ni la forma en que su corazón bombeaba la sangre por todo su cuerpo en veloz carrera cuando Striker levantó una ceja en actitud arrogante.

—Creo que nos las apañaremos bien —dijo ella tratando de que su voz sonara serena. Maldijo la situación. No le agradaba pensar que estaba encerrada con aquel hombre en medio de ninguna parte, y tampoco le gustaba sentirse vulnerable, no sólo hacia el tipo que la estaba acosando, sino también ante las emociones que se agolpaban en su interior cada vez que estaba cerca de Striker.

«No se te ocurra acercarte. Sólo tienes que aguantar unos pocos días. Después, si hace su trabajo como se supone que tiene que hacerlo, atrapará al malo y podrás volver a hacer tu vida de antes. Estarás a salvo y podrás empezar de nuevo con tu bebé. A menos que algo vaya mal. Terriblemente mal».

Miró a Striker de nuevo.

Si le gustaba como si no, estaba atrapada con él.

Menos de dos horas más tarde, el teléfono de Striker sonó y éste se levantó de golpe a responder.

—Striker.

—Soy Kelly. Tengo algo.

«Por fin». Apoyó la cadera contra el marco de la ventana y miró a Randi que lo observaba por encima de la pantalla del ordenador con las gafas sobre la nariz.

—¿Alguna noticia? —le preguntó.

—Continúa —dijo Striker a Kelly mientras contestaba con la cabeza a la preguntaba de Randi.

–Creo que he localizado el vehículo con el que sacaron a Randi de la carretera en Glacier Park. Una furgoneta marrón de la marca Ford, varios años, tenía algunas abolladuras que le arreglaron en un taller de Idaho. La historia de siempre. Saqué la información de uno de los empleados que dice que el dueño le debe el salario de varios meses.

–Déjame adivinar. La furgoneta estaba registrada a nombre de Sam Donahue.

–Cerca. En realidad perteneció a Marv Bates, o más exactamente, a una amiga suya.

–¿Has localizado a ese tal Marv?

Randi se puso rígida al momento. Hizo a un lado el portátil y se acercó a él.

–Estoy en ello. Tengo a la policía tras él. Mi antiguo jefe, Espinoza, está haciendo todo lo que puede. Pero de momento, no lo hemos localizado.

–Él tenía una coartada.

–Lo sé –dijo Kelly–. A prueba de todo. El bueno de Sam Donahue y Charlie Caldwell juraron que estaban en casa de Marv cuando Randi tuvo el accidente. La novia de Charlie en ese momento, Trina Spencer, verificó la historia, pero ahora ya no están juntos y la estamos buscando para hablar con ella. Tal vez cambie de opinión ahora que Charlie ya no es el amor de su vida y que su furgoneta está relacionada con el accidente. Estamos hablando con los empleados del taller. Supongo que es cuestión de tiempo que alguno diga algo.

–Bien. Es un comienzo.

–Por fin –convino Kelly–. Seguiré trabajando.

–¿Quieres hablar con Randi?

–Claro –dijo ella y Striker le pasó el teléfono a Randi que le preguntó qué había descubierto. Después quiso saber cómo estaba la familia y tras un breve intercambio, colgó.

–Esto era lo que estabas esperando –dijo Randi y Striker notó el tono de esperanza en su voz.

–Es un comienzo, Randi. El tiempo dirá si es bueno, pero sí, es algo –dijo él que odiaba tener que devolverla a la realidad. –¿Por qué no te acuestas ya? –dijo Striker desenrollando un saco de dormir y colocándolo entre la cuna improvisada y el fuego.

–¿Y tú?

–Me quedaré aquí –contestó él colocando un sillón cerca de la puerta.

–¿No vas a dormir? –preguntó ella mirando el viejo sillón de orejas.

–Echaré una siesta.

–Tienes miedo –lo acusó ella.

–No es miedo. Quiero vigilar.

Ella sacudió la cabeza, sin saber que la luz del fuego daba reflejos rojizos a su pelo. Con un suspiro empezó a quitarse una bota y después la otra.

–De verdad que no puedo creer en lo que se ha convertido mi vida –y diciendo esto se metió en el saco, se sentó con las piernas cruzadas y miró el fuego–. Yo sólo quería escribir un libro, ¿sabes? Demostrarle a mi padre, a mi jefe, incluso a mis hermanos, que era capaz de hacer algo que mereciera la pena. Mi familia pensaba que estaba loca cuando fui a la Facultad de Periodismo, sobre todo mi padre. No lograba verlo como una profesión de éxito. Al menos no para su hija. Y entonces encontré trabajo en el periódico de Seattle y me convertí en el hazmerreír. Daba consejos a los solteros. Mis hermanos pensaron que lo que hacía no tenía ningún valor, incluso cuando la columna despegó y empezó a publicarse en periódicos de todo el país

–miró a Striker–. Conoces a mis hermanos. Son unos hombres realistas y directos. No me imagino a ninguno de los tres escribiendo al periódico en busca de consejo sobre su vida amorosa.

Kurt se rió.

–Ni a ti tampoco, supongo –continuó.

Kurt la miró con una ceja arqueada.

–Ni por lo más remoto.

–Y los artículos que escribía para las revistas bajo el pseudónimo de R. J. McKay estaban dirigidos a las mujeres. Así que el libro… –miró al techo buscando las palabras– …era un intento de legitimar mi profesión. Por desgracia, papá murió antes de que lo hubiera terminado y comenzaron mis problemas –dijo Randi frotándose las rodillas y alzó la cabeza. La cadena que llevaba resbaló por su cuello y Kurt vio el brillo del metal a la luz del fuego. Sintió la boca seca al ver su delicada garganta y la curva que formaba su cuello con el hombro. La tensión que sintió en la entrepierna lo obligó a mirar hacia otro lado.

–Tal vez estemos a punto de resolver el asunto.

–Ojalá –dijo ella–. ¿Sabes? Siempre me gustó vivir al límite, estar cerca de la acción, allí donde estuviera, no echar raíces en ningún sitio.

–Una McCafferty auténtica.

–Supongo que sí –dijo ella riéndose entre dientes–. Pero ahora que soy madre, y después de lo que ha pasado, sólo quiero vivir tranquila. Quiero recuperar mi vida en la ciudad.

–¿Y el libro?

–Sigo con la intención de escribirlo –dijo ella sonriendo lentamente. Kurt apreció la determinación en su voz–. ¿Hora de dormir?

La pregunta sonó inocente, pero aun así dejó en el aire la imagen de ambos haciendo el amor.

–Cuando quieras.

–Y tú te quedarás de guardia en la puerta.

–Sí –asintió él–. Duerme un poco.

–No hasta que me digas qué te hace ser así –dijo ella–. Vamos, yo te he contado mis sueños de ser periodista y cómo mi familia se reía en mi cara. Sabes todo sobre los hombres con los que he salido últimamente y también te he contado mi ilusión de escribir un libro y cómo me vi envuelta en una relación con un hombre casado y que puede estar intentando matarme. Sea lo que sea lo que ocultas no puede ser tan malo.

–¿Y por qué iba a estar ocultando algo?

–Todos tenemos secretos, Striker. ¿Cuál es el tuyo?

«Que me estoy enamorando de ti». Pero decidió que sería mejor mantener la boca cerrada. No podía ser. Tenía que limitarse a tener un trato profesional con ella.

–Estuve casado –dijo y sintió un antiguo dolor en su interior.

–¿Qué ocurrió?

–Pidió el divorcio –dijo él tras dudar si contestar. Aquél era un tema que casi nunca trataba, ni siquiera quería pensar en ello.

–¿Por tu trabajo?

–No –dijo él tajantemente mirando al bebé que dormía plácidamente en su «cuna» y recordó las ganas que sintió de ver a su hija cuando nació. Recordó su olor, la maravilla que era preocuparse por una personita tan diminuta.

–¿Otra mujer? –preguntó Randi y notó cómo Kurt tensaba la mandíbula.

–No. Si hubiera sido por eso habría sido más fácil –admitió–. Más limpio.

–Entonces, ¿qué ocurrió? Y no me digas que os

fuisteis distanciando. Tengo montones de lectores que me escriben diciendo lo mismo.

–Tu columna no podría resolver lo que ocurrió entre mi ex mujer y yo –dijo él con más amargura de lo que habría querido.

–No pretendía poder hacerlo –dijo ella ligeramente ofendida. Kurt lo notó.

–Bien.

–¿Entonces qué pasó, Striker?

Él tensó la mandíbula.

–¿No puedes hablar de ello? –continuó Randi–. ¿Ni siquiera después de lo que te he contado de Sam Donahue? ¿Que me estaba acostando con él siendo un hombre casado? ¿Cómo crees que me siento ahora al pensar que no fui capaz de reconocer las señales? ¡Dios, nada puede ser tan humillante!

–Tuvimos una hija –dijo con una voz de ultratumba–. Se llamaba Heather –el recuerdo lo embargó y las palabras se amontonaron en su garganta–. Solía llevarla en mi barco y le encantaba. A mi mujer no le gustaba, le daba miedo el agua, pero yo insistí que no pasaría nada. Y así fue. Hasta… –el peso que aplastaba su pecho le impedía hablar.

Randi no dijo ni una palabra pero había palidecido como si supiera lo que iba a decir. Striker cerró los ojos, pero seguía viendo en su memoria aquel aciago día, la tormenta en el horizonte, recordaba la forma en que el motor había parado de golpe.

–Hasta la última vez –prosiguió–. Heather y yo salimos con el barco. El motor se paró y yo estaba ocupado tratando de ponerlo en marcha de nuevo cuando se cayó por la borda. Por alguna razón, el chaleco salvavidas se desabrochó. Fue un accidente, pero aun así… buceé tras ella pero se había golpeado la cabeza y había tragado demasiada agua –parpadeó rápidamente–. Fue demasiado tarde. No pude salvarla –era evidente que el dolor lo penetraba hasta el centro de su alma.

Randi no se atrevía a moverse. Sólo podía mirarlo.

–Mi mujer me culpó de lo ocurrido –dijo él finalmente apoyándose contra la puerta–. El divorcio fue sólo una formalidad.

Capítulo Diez

–Lo siento mucho –murmuró con un hilo de voz preguntándose cómo alguien podía sobrevivir a la pérdida de un hijo. ¡Cómo se había equivocado al juzgarlo!

–No es culpa tuya.

–Y tampoco fue culpa tuya. Fue un accidente –dijo ella y al momento se encontró con la mirada recriminatoria de Kurt.

–Eso me dije a mí mismo, pero si no hubiera insistido en llevarla conmigo… –frunció el ceño–. Mira, ocurrió y ya está. Han pasado más de cinco años. No hay razón para volver al pasado.

Randi sintió que el corazón se le rasgaba. A pesar de su negativa, el dolor seguía intacto en él.

–¿Tienes una foto?

–¿Qué?

–De tu hija.

Kurt titubeó y ella salió a gatas de su saco e insistió.

–Me gustaría verla.

–No es buena idea.

–No es la primera –dijo ella atravesando la habitación. Aún titubeando, Kurt buscó en el bolsillo trasero, y sacó la cartera. Randi contuvo la respiración al tomar la gastada cartera de cuero y ver la foto, cuidadosamente protegida por un plástico, de una preciosa niña rubia con cara de querubín. De facciones suaves, estaba sonriente y mostraba unos perfectos dientecitos infantiles.

–Es preciosa.

–Sí. Lo era –dijo él con los labios apretados.

–Perdona si antes me mostré tan insensible. No lo sabía.

–No hablo mucho del tema.

–Tal vez deberías.

–No lo creo –dijo él tomando la cartera y cerrándola de golpe.

–Si lo hubiera sabido…

–¿Qué? ¿Qué habría sido diferente? –preguntó con amargura–. No hay nada que puedas decir, nada que puedas hacer, nada que pueda cambiar lo sucedido.

Randi extendió el brazo con la intención de acariciarle la mejilla, pero él apresó su muñeca.

–No lo hagas –la advirtió–. No quiero tu compasión ni tu lástima.

–Empatía –dijo ella.

–Nadie que no haya perdido un hijo puede mostrar empatía –dijo él, los dedos rígidos y los ojos llenos de fiereza–. Simplemente no es posible.

–Tal vez no, pero eso no significa que no pueda sentir dolor.

–Pues no lo hagas. Es mío. Tú no puedes hacer nada –dijo apretando con furia los dientes y tensando la mandíbula–. No debería habértelo contado.

–No… es mejor.

–¿En qué sentido? –preguntó él en medio de su agonía–. Dime cómo va a ayudarme el que tú sepas ahora de la existencia de Heather.

–Puedo comprenderte mejor.

–Por favor, Randi. Las mujeres siempre decís lo mismo. No es necesario que conozcas mis miserias, ni el dolor que he sufrido. No estabas allí, ¿entiendes? Así que te agradecería que no «sintieras mi dolor» ni ninguno de esos rollos pseudo-psicológicos de programa televisivo. Lo único que tienes que hacer es seguir mi consejo y asegurarte de que tu hijo y tú estáis bien. Fin de la historia.

–Yo digo que no –susurró ella y sin pensarlo le dio un beso en la comisura de los labios. La necesidad de calmar su dolor era tremenda, casi más que su propia necesidad de que la reconfortaran, la abrazaran–. Si vamos a estar aquí encerrados, apartados del resto del mundo, necesito comprenderte –dijo ella besándolo de nuevo.

–No lo hagas –dijo él con una voz ronca y Randi notó que se removía inquieto, como si los pantalones le ajustaran demasiado de pronto.

–¿Por qué? –preguntó ella sin ceder ni un ápice, tan cerca de él que podía oler la humedad que exhalaba su chaqueta de cuero. Se sentía temeraria y salvaje y deseaba tocarlo y abrazarlo con fuerza, un hombre que había visto muchas cosas en su vida y que había sufrido mucho.

–Ya sabes por qué.

–Kurt, sólo quiero ayudarte.

–No puedes –dijo él volviéndose para mirarla a los ojos, su rostro muy cerca del de ella–. ¿No sabes a lo que te enfrentas?

–No tengo miedo –dijo ella besándolo en la mejilla hasta arrancarle un gemido.

–No lo hagas, Randi –ordenó Kurt, pero su tono es más bien de súplica.

–Puedes confiar en mí.

–No se trata de confianza.

–¿No? ¿Entonces de qué? Estamos aquí solos. Si no confiara en ti, puedes estar seguro de que no me habría dejado encerrar aquí contigo, en medio de ninguna parte. Créeme, Striker, esto es cuestión de confianza. Por eso me has hablado de Heather.

–¡Dejémosla a ella fuera de esto! –gruñó.

–Tienes derecho a estar enfadado por lo que le ocurrió a tu niña.

–Bien porque lo estoy y tú no me estás ayudando nada.

–¿No? –dijo ella, su genio saltando a escena–. Entonces supongo que tampoco te ayudé la otra noche, ¿no?

–Demonios –murmuró él retirando la vista. Seguía sujetándola por las muñecas, sentía el pulso acelerado de Randi bajo sus dedos.

–Recuerdas la otra noche, ¿no? –le recordó ella–. La noche en la que me espiaste en el piso de arriba del rancho. Esa noche, no tuviste demasiadas reservas.

–Y ahora tengo tantas reservas precisamente por lo que ocurrió esa noche. Fue un error.

–No pensabas así la otra noche.

–Tienes razón. No pensaba. Punto. Pero estoy tratando de pensar con más claridad ahora.

–Entonces está bien que tú me seduzcas a mí pero no al revés.

–No te he traído hasta aquí para acostarme contigo –dijo él cerrando los ojos en un intento por recobrar fuerzas.

–¿No? –dijo ella besándolo de nuevo, detrás de la oreja, y esta vez su reacción fue inmediata. Girándose de golpe, la tumbó en el suelo y se inclinó sobre ella.

–Escúchame. Me estás presionando demasiado y un hombre tiene un límite.

–Lo mismo que una mujer –dijo ella–. No puedes...

Kurt no la dejó continuar en el momento en

111

que puso sus labios sobre los de ella. Fieros. Calientes. Duros. Ansiosos. La besó larga y salvajemente, y ella le devolvió el beso, abriendo la boca para él, dejándose seducir por el juego de su lengua en su boca, arqueando el cuerpo para estar más cerca de él. Randi contuvo el aliento. La sangre le hervía mientras Kurt acariciaba su cuerpo. Ya no podía seguir negando lo que ambos deseaban. Ya no dijo nada más, se limitó a besarla, y a acariciarla y a arrancarle la ropa.

Randi no lo lamentaba. Aquello era lo que deseaba: tocarlo, tener acceso a él, física y psicológicamente. Tenía prisa por desnudarlo, pero sus dedos se enredaban con cremalleras y botones. Por fin tocó la piel del torso que cubría unos fuertes músculos, y se entretuvo con los pezones escondidos entre el vello que al contacto se pusieron duros.

–Dios –exclamó él con voz rasposa mientras se quitaba la camisa y hacía lo mismo con el jersey de Randi. La acarició con sus manos rugosas arrancándole gritos de placer cuando la tocó por debajo del sujetador. Sus pezones se irguieron. Sólo podía pensar en cuánto lo deseaba, cuánto quería tenerlo dentro de ella dando alivio al dolor provocado por la necesidad que iba creciendo en su interior. Le desabrochó entonces el sujetador y, tomándola en sus fuertes brazos, se puso en pie y la llevó hasta el saco de dormir, donde su tumbaron en una red de brazos y piernas ansiosos. Besó con fruición las mejillas y los pechos de Randi y la apretó con fuerza contra sí prácticamente ensamblando su cuerpo al de él.

Randi respondió con un suave gemido mientras él jugueteaba con sus pezones. No podía pensar. Vio la cara de Kurt enterrada entre sus pechos y sintió sus dedos introducirse bajo la cinturilla de su

112

pantalón. El deseo que sintió era tan fuerte que estaba sudando en la fría habitación, ansiosa por recibirlo, empezó a hurgar en su braguera.

–Randi –jadeó entre los pechos húmedos–. ¡Qué hermosa eres! –y no dijo más. Deslizó la mano por los muslos de ella y sus dedos buscaron en el interior húmedo de las piernas. Randi gimió y se movió ligeramente para facilitarle la labor de quitarle los pantalones con la mano libre mientras continuaba con la otra la exploración, profundizando más y más, haciendo que Randi respirara cada vez más entrecortadamente y echara hacia atrás la cabeza al tiempo que arqueaba el cuerpo y Kurt seguía lamiendo sus pechos. Estaba más cerca de aliviar el dolor que sentía. Sintió su sexo húmedo de deseo.

–Dame más –susurró ella, ajena a todo lo que no fuera el deseo.

Entonces le quitó las bragas. Ella contribuyó con los botones de la braguera de los vaqueros de él que se desabrocharon de una vez y, con asombrosa agilidad, Kurt salió de ellos deseoso de yacer desnudo junto a ella. Loco de deseo se tumbó y puso a Randi sobre él y, con un rápido movimiento, reemplazó la mano por su sexo erguido.

Randi gimió de placer y Kurt se acopló al contacto bajando las caderas de ella y subiendo su propio trasero para recibirla. El mundo se derritió en aquel frío agujero de la tierra y empezaron a moverse. Despacio al principio. Fricción y fuego. Calor y deseo. Emociones alteradas y necesidad. Randi cerró los ojos y escuchó un gemido largo y lento que no estaba muy segura de dónde provenía, si de él o de ella. Pero no le importaba. Sólo le importaba el hombre que tenía debajo de su cuerpo, el hombre que quería, el hombre al que, mucho se temía, estaba empezando a amar. Aquel íntimo momento podía ser el último pero no le importaba, sólo quería sentirse colmada de él.

En su interior se produjo una explosión. Quería más, mucho más. Abrió los ojos y lo vio mirándola. En sus ojos había el mismo brillo de deseo que en los suyos.

—Eso está hecho, preciosa —susurró él mientras ella incrementaba la velocidad del movimiento. Él siguió acompañando los embates y tomó el mando, sujetándola con manos fuertes. El sudor perlaba su frente, tenía la piel tirante y el cabello húmedo pero no paró.

Más apasionado. Más rápido. El mundo se convirtió en un torbellino de excitación que iba aumentando hasta que llegaron al límite. Randi se convulsionó, pero él la mantuvo sobre él, siguió embistiéndola, y aunque ella había llegado a su clímax, recibió con placer cada uno de los embates hasta que la excitación volvió a hacer presa en ella. Esta vez ambos alcanzaron el éxtasis al tiempo, un último gemido de los dos coincidió, y finalmente Kurt sintió que su cuerpo se relajaba y eyaculó dentro de ella.

—¡Randi! —gimió con voz ronca pero se le rompió la voz—. Amor mío…

Randi dejó caer su cuerpo sobre él y sintió sus fuertes brazos rodeándola, ofreciéndole calor. Kurt le sostuvo con mimo la cabeza con una mano y con el otro brazo le rodeó la cintura. Las lágrimas asomaron a los ojos de ella mientras las últimas palabras de él resonaban en su cabeza. Aunque habían sido pronunciadas en plena pasión sexual, aunque sabía que no volvería a escucharlas, se agarró a ellas. «Randi… amor mío».

No tendrían ningún significado a la mañana siguiente pero, en ese momento, en lo que quedaba de noche, la sustentarían. Se acomodó sobre él y experimentó unos momentos de paz. Durante esa noche se permitiría el lujo. Durante esa noche, dormiría con ese hombre al que le resultaría tan fácil amar. Durante esa noche olvidaría que era su guardaespaldas, que le pagaban por ello, un hombre del que ninguna mujer en sus cabales se permitiría enamorarse.

Amantes.

Kurt y ella se habían convertido en amantes.

La idea la golpeó con fuerza segundos antes de abrir los ojos a sabiendas de que estaba sola dentro de aquel saco de dormir. Habían hecho el amor una y otra vez la noche anterior y en ese momento... Abrió los ojos y comprobó que la cabaña tenía aún peor aspecto a la luz del día. Joshua estaba haciendo ruiditos en su cuna. Probablemente había sido eso lo que la había sacado de su sueño y allí estaba, desnuda, helada, no había rastro de Kurt por ningún sitio, sola en medio de la nada.

—Ya voy, tesoro —le dijo a su hijo mientras buscaba sus ropas.

Al sentir un pequeño escozor entre las piernas recordó lo que había ocurrido, lo que ella había instigado la noche anterior. Terriblemente avergonzada de lo que había hecho, salió a gatas del saco, y se acercó a su bebé que le sonreía con beatífico rostro.

—¿Tienes hambre? —preguntó Randi aunque ya le estaba cambiando el pañal. Le encantaba el rito diario de tomarlo en brazos, hablar con él, quitarle el pañal sucio, limpiarlo y ponerle uno nuevo.

Preparó un biberón mientras canturreaba y le dio el desayuno. Oyó en ese momento que la puerta se abría y miró en esa dirección. Vio a Kurt que entraba cargado de astillas para encender el fuego. Sintió una oleada de calor subiéndole por el cuello, pero él no parecía avergonzado.

–Buenos días –dijo él arrastrando las palabras y la mirada que le envió le recordó cómo habían hecho el amor la noche anterior. Ella había sido la instigadora. Prácticamente le había rogado que le hiciera el amor. Definitivamente lo había seducido y en ese momento se sentía una estúpida.

–Creo que debería decir algo sobre lo que pasó anoche –dijo ella.

–¿Qué hay que decir?

–Normalmente no soy así…

–Pues es una pena –dijo él con una sonrisa–. A mí me pareció que estuvo bastante bien.

–¿De verdad? Pero tú… quiero decir que actuabas como si fuera un error. Lo dijiste.

–Pero ocurrió. Creo que no deberíamos seguir cuestionando lo que hicimos.

–¿Entonces no fue importante? –preguntó ella sin poder evitar la decepción.

–Claro que lo fue, pero no empecemos el día recriminándonos cosas, ¿quieres? No creo que vaya a solucionar nada. Como ya te dije, no me gusta analizar demasiado las emociones –dijo mientras metía las astillas en una vieja leñera–. Quería haber preparado café antes de que te despertaras.

–Mmm. Suena delicioso –admitió ella.

–Será sólo un momento –dijo él sacudiéndose las manos y buscando el paquete de café.

–Supongo que no será bajo en calorías, con aroma de vainilla, doble crema y virutas de chocolate –preguntó ella dejando escapar la risa.

–Has vivido demasiado tiempo en Seattle.

–Díselo a mi jefe –murmuró–. De hecho, cuando

termine con esto –inclinó la cabeza para hacer una carantoña a su pequeño– voy a llamarlo. Si me está permitido, claro –añadió.

–Siempre y cuando no digas dónde estás.

–Eso sería complicado ya que no tengo la menor idea de dónde estamos –Randi terminó de dar el biberón a su hijo y jugó un poco con él mientras le cambiaba la ropa. Mientras Kurt calentaba el agua para el café instantáneo, ella colocó a Joshua sobre su hombro y lo acunó un poco y se dispuso a llamar a Bill Withers, pero tuvo que dejar otro mensaje.

–Withers debe estar eludiéndome –murmuró mientras volvía a llamar a la oficina y contestó Sarah, su compañera del periódico.

–¿Dónde has estado? –preguntó Sarah cuando reconoció a Randi–. Bill me está sometiendo al tercer grado y cada vez que se pronuncia tu nombre, parece que le va a dar un ataque.

–No puedo decírtelo, pero volveré… –miró a Kurt que sacudía la cabeza–, …pronto. No sé cuándo exactamente. Mientras tanto, voy a enviar mi columna por e-mail. No debería ponerse así. La mayoría de las preguntas las recibo a través de Internet.

–Es por controlar. Igual que pasa con todos los hombres.

–Especialmente si resulta ser tu jefe –dijo Randi–. Escucha, si hablas con él, dile que estoy intentando localizarlo. Lo he llamado dos veces y voy a mandarle trabajo en un par de horas.

–Vale, pero vuelve pronto, ¿de acuerdo?

–Regresaré lo antes posible –la tranquilizó Randi.

–¿Qué le digo a Joe?

–¿Qué?

–Paterno está en la ciudad y ha preguntado por ti.

Joe y Randi no habían sido amantes. Le sorprendía que la estuviera buscando.

–Dile que me pondré en contacto con él cuando vuelva a la ciudad –dijo Randi y vio que Striker se ponía rígido al oírlo. No podía evitar estar oyendo la conversación y a Randi no le gustaba la falta de intimidad–. Escucha, Sarah, tengo prisa –y colgó. Quería ahorrar toda la batería que pudiera y Sarah estaba a punto de ponerse a discutir. Le devolvió el teléfono a Kurt y aceptó una taza de café–. No he mentido. Todo esto terminará pronto.

–Eso espero, pero he estado haciendo algunas comprobaciones esta mañana antes de que te despertaras y hasta ahora nadie ha podido localizar a Sam Donahue.

–¿Crees que se está ocultando?

–Tal vez.

–¿O…? –Randi se detuvo. No le gustaba nada lo que estaba pensando–. ¿Crees que ha podido seguirnos?

–No lo sé. ¿Ha estado preguntando por ti en el periódico? Escuché que le decías a tu amiga que te pondrías en contacto con él cuando volvieras.

–No era Sam –dijo ella no sin cierto titubeo. Finalmente decidió ser sincera–. Era Joe Paterno. Éramos… amigos. Eso es todo. Eso es todo lo que ha habido entre nosotros.

Kurt la miró como si no la creyera.

–Es verdad –dijo ella encogiéndose de hombros–. Siento decepcionarte. Tengo la sensación de que piensas que he tenido una increíble vida amorosa, que me he acostado con todos los hombres con los que he salido, pero no ha sido así. Dejé que todo el mundo se preguntara por la paternidad de mi hijo para protegerlo. Cuanta menos gente supiera que Sam era el padre, sería mejor para Joshua y para mí. Al menos eso fue lo que pensé, así que dejé que la gente sacara sus conclusiones sobre mi vida amorosa –lo miró arqueando una ceja–. Puede que no tenga el mejor gusto con los hombres, pero me gusta elegir.

–Supongo que debería sentirme halagado.

–Por supuesto –dijo ella lanzándole una mirada asesina. Dio un sorbo al café y volvió su atención a Joshua. Después de todo, él era la razón de lo que estaba pasando, pero Randi no lo cambiaría por nada. Joshua hacía que mereciera la pena todo lo demás.

A finales del pasado otoño había dejado Seattle para volver al rancho que había heredado de su padre. Sólo quería recobrar la paz de espíritu y pasar un tiempo en Montana durante el cual pretendía escribir su libro y sobre todo encontrarse a sí misma. Cometió los primeros errores nada más llegar al rancho, despidiendo al capataz Larry Todd, por ejemplo.

Había pensado que vivir en el rancho, regresar a sus raíces y dirigir el rancho mientras escribía el libro podría ser la terapia que necesitaba. Tras el nacimiento, pensó que podría cuidar a su hijo y criarlo en el mismo sitio en el que ella había crecido, lejos del caos de la ciudad. Pero seguía teniendo su trabajo en el periódico para el que trabajaría mediante fax y correo electrónico, incluso podría ir a Seattle cada semana si fuera necesario.

La idea de ser madre soltera había sido desalentadora en un principio. No dejaba de preguntarse cómo respondería a las preguntas de su hijo sobre su padre. Cuando el libro estuviese terminado y la basura saliera a la luz, muchas personas relacionadas con el mundo del rodeo, incluido Sam Donahue, serían investigados y posiblemente declarados culpables. ¿Cómo se sentiría al saber que había enviado a la cárcel al padre de su hijo?

Sin embargo, era una McCafferty, una mujer a la que nunca habían asustado la verdad ni las decisiones peliagudas, y había decidido que tenía que dejar que la verdad se supiera, salpicara a quien salpicara.

Pero no tuvo la oportunidad. De camino a Grand Hope había sufrido el accidente en el que había estado a punto de morir y como consecuencia se le había adelantado el parto. Después cayó en coma y al despertar no recordaba ni siquiera que era madre de un precioso bebé. Poco a poco fue recobrándola y descubrió horrorizada que había sido una idiota y que Sam Donahue, un despiadado criminal, era el padre de su hijo.

«¿Y ahora qué?» Randi se inclinó hacia su bebé y el colgante de su cadena salió de su camisa. Joshua reía y daba pataditas al tiempo que extendía los bracitos intentando agarrar el brillante colgante.

—Eso no se toca —dijo ella haciéndole pedorretas en la barriguita. El niño reía sin parar y Randi repitió la broma, olvidando sus problemas y dudas mientras jugaba con su hijo.

El teléfono de Striker sonó rompiendo el relajado momento. Éste lo abrió y respondió.

—Kurt Striker... sí, está aquí mismo... no sé si será una buena idea... De acuerdo. Espera un poco.

Randi giró la cabeza y vio a Striker mirando por la ventana con el teléfono en el oído. La miró y Randi sintió que el corazón se le paraba. Algo había ocurrido. Algo malo.

—¿Qué?

–Vale, que se ponga, pero no me queda mucha batería, así que será mejor que sea breve –le entregó el móvil a Randi–. Es Brown. Ha encontrado a Sam Donahue.

–¿Y? –preguntó ella con las rodillas temblorosas.

–Es para ti, cariño –dijo Kurt con una sonrisa fría como el hielo–. Parece que el bueno de Sam quiere hablar contigo.

Capítulo Once

–¿Qué demonios está pasando, Randi? –gritó Sam Donahue a través del teléfono–. Aquí hay un cabrón que dice que me va a arrestar porque he intentado matarte o algo así. Sabes que no es verdad. ¿Por qué iba a querer matarte? ¿Por el niño? ¡Por favor! ¿Por esa historia que estás escribiendo? ¿Quién va a creerlo? Tengo una coartada perfecta, así que di que me dejen en paz.

–¿Que te dejen en paz? –repitió Randi sin moverse. La señal telefónica no era muy estable.

–Sí. Di a este tipo, Brown, que me olvide.

–No te oigo, Sam.

–Está loco. Dice que la policía… ¡Dios! Están aquí. Escucha, Randi, no sé de qué va todo esto. Tal vez se trate de alguna venganza personal o algo así, pero no está bien –la señal se perdía y la batería fallaba– Maldita sea… denunciaré por cargos falsos… de ninguna manera… Dejadme en paz… Espera… Randi… –su voz se desvaneció por completo y la conexión se detuvo al tiempo que el teléfono hacía un pitido que indicaba que la batería estaba muy baja.

Randi le devolvió el teléfono a Striker sin saber qué decir.

–¿Qué quería?

–Decirme que es inocente –dijo ella–. Me dijo que ordenara que lo dejaran en paz.

–Pero tú no has ordenado a nadie que lo arrestaran.

–No tuve tiempo de explicárselo. No me dio la oportunidad y la conexión telefónica no era muy buena –se metió las manos en los bolsillos de los vaqueros–. No lo estoy defendiendo –miró a su hijo, dormido de nuevo, con cara angelical, inconsciente de lo que estaba ocurriendo.

–¿Estás bien? –preguntó Kurt acariciándole la nuca.

–Sí. No me ha resultado tan difícil emocionalmente. Me ha sorprendido –consiguió decir con una sonrisa–. ¿Sabes? Pensé que sentiría algo. Ira, nostalgia tal vez, cualquier cosa porque él es el padre de mi hijo, pero sólo me sentí… vacía. Y tal vez triste. No por mí, sino por Joshua –se encogió de hombros–. Es difícil de explicar –dijo mirando alrededor, deteniéndose en su bebé–. Pero lo más extraño es que mientras hablaba con él, he creído lo que me ha dicho.

–¿Has creído a Donahue? –resopló Striker mientras se dirigía a la estufa y se calentaba las manos.

–Sí. Ha sido tan vehemente, tan ofendido porque le estaban arrestando que no puedo creer que estuviera actuando.

–¿Pensaste que se dejaría arrestar sin más?

–No, claro que no, pero…

–Sigues protegiéndolo –dijo Kurt frunciendo el ceño–. Porque sea el padre de tu hijo no le debes lealtad, ni nada de eso.

–¿Bromeas? –dijo ella, dolida–. Lo último que podría sentir por Sam Donahue es lealtad. Estaba casado cuando nos conocimos. Casado. Cuando le pregunté, me dijo que estaba divorciado. Me mintió sin pestañear. Y yo lo creí como una idiota –admitió, pero el dolor y la vergüenza eran muy profundos. Había imaginado que volvería a verlo o a hablar con él y que sentiría satisfacción mandándolo al infierno, incluso diciéndole que tenía un precioso hijo, pero en vez de satisfacción se sentía aliviada por no tener ya ninguna relación con él, aliviada por estar en el último lugar del mundo en compañía de Kurt Striker. Tenía la sensación de haber avanzado.

«¿Avanzar adónde? Con un hombre que ha dejado clara su necesidad de independencia; un hombre soltero muy sexy sin intención de asentarse; un hombre que carga sobre sus hombros el dolor de haber perdido a una hija, un dolor que ha formado un muro alrededor de su corazón que una mujer en su sano juicio no debería tratar de atravesar. Es tu guardaespaldas, Randi. Le pagan por ello. No seas estúpida de enamorarte de él. Sólo conseguirás que te haga daño».

Kurt echó otro leño al fuego y el musgo que lo cubría hizo que crepitara.

—Y sigues creyéndolo. Lo defiendes.

—No es eso. Es sólo que… bueno, que si es culpable, está bien que lo arresten. Pero… yo sigo siendo de la opinión de que un hombre es inocente hasta que se demuestre lo contrario. Así es la ley, ¿no?

—Tienes razón. Es la ley. Sólo tengo que demostrar que es culpable.

—Si puedes.

—Observa y verás —dijo él tensando la mandíbula y cerró la puerta tan fuerte que Joshua se despertó y se echó a llorar.

Randi lo tomó en brazos para calmarlo, pero Joshua no dejaba de llorar, cada vez más fuerte. Striker miró al bebé y el arrepentimiento por lo que había hecho ensombreció su mirada.

—Iré a ver si puedo cargar la batería del móvil con la del coche. Tengo otro teléfono, pero no tiene una batería muy buena —dijo al tiempo que abría la puerta y un viento húmedo y frío se colaba en la cabaña.

–Y un cuerno. Sólo quiere poner distancia entre nosotros –murmuró mientras acunaba a su hijo, lo cual estaba bien. Ella también necesitaba tiempo para pensar en las complicaciones que rodeaban su vida. Se preguntaba qué tenía Striker que la atraía tanto. Parecía que sólo podían hacer el amor o la guerra. Con Kurt, no había término medio y sus emociones eran siempre sinceras, sus músculos se tensaban cada vez que estaba cerca de él.

«Eso es porque te estás enamorando de él, idiota. ¿No te das cuenta? Incluso en este mismo momento no dejas de mirar por la ventana para poder verlo. Si no tienes cuidado, Kurt Striker te romperá el corazón».

Desde una furgoneta cerca del apartamento de Eric Brown, el asesino colgó el teléfono y no se molestó en ocultar la sonrisa. Los avances tecnológicos eran una maravilla. Bastaba con saber pinchar un móvil, y eso era algo muy básico en los tiempos que corrían.

Una fina niebla había caído sobre la ciudad y los coches que pasaban no se molestaban en mirar hacia la furgoneta oscura con los cristales tintados estacionada en el aparcamiento de un supermercado.

El supuesto asesino sacó un mapa y estudió las carreteras del centro de Washington. La zorra y su amante estaban en las montañas. Con el niño. Escondidos como cachorros asustados. Mejor. Le resultaría muy fácil hacerla salir y pronto la vería correr asustada. La pregunta era hacia dónde huiría Randi McCafferty.

¿Hacia su casa junto al lago o tal vez hacia el rancho de papá con sus fornidos hermanos?

¿Hacia el oeste o el este?

En realidad no importaba. Como rezaba el dicho popular, la paciencia era una virtud y la venganza un plato que se servía frío.

El bebé estaba revoltoso como si también él hubiera notado la tensión entre Kurt y Randi. Ésta dejó de trabajar en la columna que estaba escribiendo y fue a cambiar el pañal del niño y tratar de calmarlo.

Joshua llevaba dos días inquieto y Randi no lo culpaba. Estar allí, atrapada con Kurt Striker, la estaba volviendo loca. Era fácil pensar que su pequeño hubiera captado la presión emocional, pero Randi se temía que fuera algo más.

Joshua era normalmente un niño feliz pero llevaba un tiempo que lloraba constantemente. Nada parecía calmarlo hasta que se quedaba dormido de agotamiento. Tenía la piel del rostro más rosada de lo habitual y la nariz congestionada. Randi comprobó que tenía unas décimas de fiebre y no hacía otra cosa que vigilarlo tratando de controlar el pánico que la amenazaba. Quería creer que podría soportarlo y ayudar a su pequeño porque para eso era su madre, aunque fuera madre primeriza, porque los cuidados a los hijos eran algo instintivo. Las mujeres cuidaban de sus hijos desde siempre, era algo genético en ellas. Mientras trataba de convencerse de la infalibilidad de la maternidad, tapó al niño con una manta.

—Si no se pone mejor, quiero llevarlo a un pediatra —le dijo a Kurt al tercer día.

—¿Crees que le pasa algo malo? —preguntó él que

estaba alimentando la estufa evidentemente frustrado por no haber tenido noticias de la policía ni de Eric Brown.

–Quiero asegurarme de que está bien.

–Creo que no podemos irnos aún –dijo Striker dirigiéndose a ella. Con asombroso cuidado tomó el niño de los brazos de Randi y lo acunó en sus brazos como si lo llevara haciendo toda la vida–. ¿Cómo estás, grandullón? –preguntó al bebé que lo miró con sorpresa y unas burbujitas de saliva salieron de sus pequeños labios. Con una sonrisa tan tierna que emocionó a Randi, Striker la miró–: A mí me parece que está bien.

–Pero está muy revoltoso.

–Se parecerá a su madre.

–Y está un poco caliente.

Striker arqueó una ceja y la miró de pies a cabeza, deteniéndose en su pecho, y mirándola después a los ojos.

–Dilo y te mato –advirtió ella.

–No me atrevería. Me asustas –dijo él devolviéndole a su hijo.

–Muy gracioso –dijo ella pretendiendo estar enfadada, aunque no pudo evitar sonreír–. De acuerdo, de acuerdo, tal vez esté exagerando un poco.

–No te preocupes. Quizá esté ligeramente resfriado pero nosotros lo cuidaremos.

–Es fácil para ti decirlo. No eres padre… –Randi se detuvo y vio que Striker se estremecía–. Lo siento –susurró ella deseando poder comerse sus palabras, pero era demasiado tarde. El daño estaba hecho. Sin duda Kurt volvía a recordar el día que había perdido a su preciosa hija.

–Cuida de él –advirtió Striker y salió de la cabaña.

Mentalmente, Randi se maldijo por su poco

tacto. Pensó en salir detrás de él, pero decidió que no. Sólo necesitaban un poco de espacio. Pensó en su casa de Seattle. Si estuviera allí, ¿qué haría? Estaría sola y tendría que dejar a Joshua con una canguro.

«Sí, una profesional. Alguien que probablemente comprenda por qué lloran los niños, por qué están revoltosos y tienen la nariz congestionada mucho mejor que tú».

Pero el pensamiento no la tranquilizó. Y además seguía estando el asunto de que alguien había entrado en su casa, alguien que tenía la llave. Cuanto más pensaba en ello, más convencida estaba de que era alguien que había entrado y había hecho lo que había querido en su casa. Sintió un escalofrío. Podía cambiar la cerradura, pero eso no cambiaba el hecho de que ella y su hijo estaban solos en una ciudad llena de extraños. Tenía amigos, cierto, ¿pero a quién podía pedir ayuda?

Miró por la ventana y vio a Kurt dirigiéndose al coche. Era alto. Delgado. Fuerte pero con un lado sensible. El sol arrancaba reflejos dorados de su cabeza descubierta y evidenciaba la sombra de barba que cubría sus mejillas. Era un hombre guapo y complicado, pero en el que una sentía que podía confiar, a quien podría amar fácilmente. Recordó las noches que habían pasado juntos, los momentos tempestuosamente apasionados y los increíblemente tiernos. Mordiéndose el labio, se dijo que aquél no era el hombre indicado para ella.

Se tocó el colgante mientras veía a Kurt subirse al vehículo. Trató de no fijarse en la forma en que sus vaqueros se ajustaban a las piernas musculosas, ni el ángulo marcado de su poderosa e increíblemente masculina mandíbula. No quería ver tampoco que la chaqueta se ceñía alrededor de los hombros que ella había acariciado con sus propios dedos mientras hacían el amor.

¿Qué le estaba ocurriendo?

Algo no iba bien.

Habían pasado dos días desde que Eric Brown llamara y la policía arrestara a Sam Donahue y Striker seguía teniendo la desagradable sensación de que algo iba mal. De que un detalle vital se le había escapado.

De pie en el porche de la cabaña, miró hacia los árboles gigantes que se elevaban hacia el cielo. El aire era fresco por la lluvia que había caído por la mañana. Aún había gotas de lluvia sobre las ramas de los helechos. Horas antes, cuando estaba sentado en el columpio roto del porche, había visto una cierva con sus cervatos, dos liebres y un mapache internándose en el bosque. El sol había salido antes ese día, pero ahora que estaba comenzando a oscurecer, Striker estaba inquieto como si presagiara los problemas que se acercaban.

Necesitaba un cigarrillo aunque lo había dejado diez años atrás. Sólo en momentos de estrés o después de un par de cervezas sentía la necesidad de inhalar nicotina. Como no había bebido una gota de alcohol en días, debía ser entonces por el estrés.

Hasta el bebé estaba nervioso. No había duda de que había sentido las vibraciones que envolvían la cabaña. Durante el día, la tensión entre Randi y él era tal que se podía cortar con un cuchillo. Y por las noches era aún peor. No había conseguido mantenerse lejos de ella. Aunque ninguno de los dos quería admitir el deseo que sentía, estaba allí, con

129

su fuerte carga erótica, y todas las noches habían cedido a la tentación, y se habían hecho el amor como si fuera la última vez.

Y podría ser el caso, tal como estaban las cosas.

Pero el deseo apasionado que sentía por ella no era una emoción desdeñable, especialmente en las noches frías en medio de las montañas cuando su cuerpo estaba tan cerca del suyo, tan deseoso como el suyo.

Pensar en la pasión que había entre ellos lo ponía en una situación muy incómoda en aquel momento y prefirió dejar de pensar en ello.

Se maldijo por parecer un adolescente calenturiento. Frustrado, se pasó la mano por el cabello. Se dijo que aquello acabaría pronto.

«¿Y después qué?¿Desaparecerás sin más?»

Tensó la mandíbula hasta sentir dolor. Aquello no iba a acabar pronto. Por increíble que fuera, parecía como si Randi pudiera tener razón respecto a su ex amante. La coartada de Sam Donahue era férrea. Los dos mejores amigos de Donahue juraron que habían estado juntos en un bar en Spokane. Aunque aquella ciudad estaba muy cerca de la frontera con Idaho y no lejos de Montana, ni Donahue ni ninguno de sus amigotes habría tenido tiempo para cometer el intento de asesinato.

Para colmo, uno de los camareros del bar recordaba el nefasto trío. Otros dos tipos que estaban jugando al billar en el mismo establecimiento reconocieron que los tres habían estado bebiendo cerveza como si fuera agua desde el mediodía hasta la noche.

Striker se apoyó en la barandilla del porche. No había muchas posibilidades de que Sam Donahue hubiera tratado de echar a Randi de la carretera aquel día.

A menos que hubiera pagado a alguien para hacerlo pero no lo creía posible tampoco.

«No lo crees porque tú quieres que sea Donahue. Admítelo. El hecho de que ese hijo de perra sea el padre del hijo de Randi te irrita. No quieres imaginar a Randi haciendo el amor con él ni con nadie más, si a eso vamos. El solo pensamiento te da ganas de matar a Donahue. Vamos, Striker, vete ahora que aún puedes. Cuanto más tiempo pases cerca de ella, más difícil te resultará separarte después».

Enfadado por el giro que habían tomado sus pensamientos, escupió, las manos metidas en los bolsillos.

«Te equivocas al involucrarte en su vida. Es tu cliente y no quieres que ninguna mujer venga a fastidiarte. Sobre todo una mujer con un hijo».

Pensó entonces en su hija y se dio cuenta de que el dolor que normalmente sentía cuando pensaba en ella era más leve. Seguía teniendo muchos recuerdos de ella, pero ya no se sentía tan culpable. Aunque no tenía sentido. Él nunca podría olvidar la culpa que había cargado sobre sus hombros y le dolía darse cuenta de que el motivo de su alivio era haber estado cerca del hijo de Randi.

—¿Kurt?

La puerta crujió y Randi apareció en el marco. Kurt sintió que el corazón le daba un vuelco al verla.

El pelo rojo y rizado revuelto, los ojos muy abiertos y las pecas sobre la nariz lo tomaron por sorpresa. Había pasado la mañana trabajando en el ordenador con la intención de enviar las dos columnas por correo electrónico tan pronto como encontraran un cibercafé, y en ese momento, lo miraba sonriente, con unos dientes increíblemente blancos.

Sensual y exuberante como la naturaleza que los rodeaba.

–¿Cómo está Joshua? –preguntó con la voz más áspera que de costumbre.

–Dormido por fin –contestó ella rodeándose con los brazos para protegerse del frío mientras salía al porche. Kurt no pudo evitar fijarse en cómo los vaqueros se ajustaban a sus caderas redondeadas. El peso que había ganado con el embarazo hacía tiempo que lo había perdido, en parte tras pasar un tiempo en coma tras el accidente. Su aspecto era esbelto, pero tenía unas arrugas en el ceño, con toda seguridad de preocupación.

Sintió la necesidad de ponerle el brazo sobre los hombros, pero decidió que sería mejor no ceder a la tentación de buscar intimidad.

–¿Podemos volver a casa? –preguntó Randi a continuación.

–¿Cómo? ¿Y abandonar todo este lujo? –dijo él forzando una sonrisa que no sentía. Randi también sonrió a pesar de las arrugas que surcaban su frente.

–Será duro, lo sé. Un sacrificio. Pero creo que es hora.

–¿Y adónde iremos?

–A casa.

–No estoy muy seguro de que tu casa de Seattle sea segura.

–No estoy hablando de Seattle –admitió ella, sus ojos marrones ensombrecidos–. Creo que necesito volver a casa, a Montana. Hasta que todo esto se aclare. Llamaré a mi editor y le explicaré lo que pasa. Tendrá que dejar que trabaje en el rancho. Bueno, no tiene que hacerlo, pero creo que lo hará.

–Espera un minuto. Creía que estabas decidida a

empezar desde cero, a demostrar de lo que eres capaz, a tomar el control de tu vida de nuevo.

—Y lo estoy. Créeme —dijo ella asintiendo con la cabeza como si quisiera convencerse—. Pero lo haré cerca de mi familia —Randi lo miró levantando la barbilla en un gesto que a Kurt le parecía muy típico de los McCafferty, una muestra de su espíritu salvaje que los llevaba a no poder rechazar los desafíos—. Venga, Striker. Recojamos aquí y vámonos.

Striker miró en derredor y decidió que tal vez tuviera razón. Era hora de volver a Montana. El caso había empezado allí… y era hora de terminarlo. La persona que atacó a Randi lo hizo cuando ella regresaba a Montana a recuperar sus raíces. Ésa debía de ser la clave. Alguien se sentía amenazado con su regreso. Alguien no la quería de vuelta en el rancho. Alguien la odiaba tanto como para intentar matarla y también a su hijo no nacido.

Algo en su mente cambió. Las imágenes aparecieron. El bebé. Otra vez, Striker pensó que Joshua era el centro de aquel terrible acoso. ¿Acaso no podían los niños arrancar las más profundas emociones? ¿No le había pasado también a él?

Era posible que el atacante lo hubiera hecho con un único propósito en mente, un tétrico propósito que Kurt no había comprendido en un principio. Tal vez Randi, todos los McCafferty, Sam Donahue e incluso él mismo hubieran sido manipulados. Si era así… sólo había una persona que pudiera tomarse la fama y el embarazo de Randi como una ofensa personal. Y Kurt estaba seguro de saber quién era el culpable.

—¿Qué sabes de Patsy Donahue? —preguntó de repente.

—¿La mujer, o la ex mujer, de Sam? —contestó ella sorprendida.

–Sí.

–No mucho –dijo ella levantando un hombro–. Patsy estaba en un curso más que yo en el instituto, su familia no tenía mucho dinero y se casó nada más graduarse con su primer novio, Ned Lefever.

–¿Erais amigas?

–Apenas conocidas –dijo ella sacudiendo la cabeza–. Nunca le gusté mucho. Su padre había trabajado para el mío, pero un día sus hombres discutieron. Creo que también estuvo enamorada de Slade, antes de Ned... bueno, es un poco complicado.

–Explícamelo. Tenemos tiempo.

–Yo gané en una competición de hípica y le arrebaté el sitio. Después... esto pasó hace mucho tiempo. Bueno, Ned me pidió que lo acompañara al baile de promoción. Él y Patsy no estaban juntos en aquel momento.

–¿Fuiste al baile?

–Sí, pero no con Ned. Ya tenía cita. Además, a mí no me interesaba Ned Lefever. Era el típico fanfarrón –Randi apoyó la mano en la barandilla–. Fue muy extraño, sin embargo. Toda la noche, en el baile, estuve soportando miradas acusadoras. De Patsy. Como si me culpara a mí de... –Randi se detuvo–: Dios mío, piensas que Patsy está detrás de los ataques, ¿verdad?

–Daría mi vida –dijo Kurt sosteniéndole la mirada.

Capítulo Doce

—¿Cómo pudo relacionarse con un tipo como Donahue? —gruñó Matt a su hermano mientras desataba la silla de Diablo Rojo. El caballo balanceó la cabeza intentando morderle en la pierna a Matt pero éste lo esquivó—. ¿No aprenderás nunca, verdad? —dijo Matt a la bestia.

Rojo relinchó y pataleó sobre el suelo del establo. Matt, Slade y Larry Todd, el capataz readmitido, llevaban todo el día montando, buscando terneros extraviados. La primavera estaba lejos todavía y había hecho muy mal tiempo desde las navidades.

El establo olía a polvo, paja seca y carne de caballo. Los olores con los que Matt se había criado. Harold, el perro lisiado de su padre, estaba tumbado junto a la puerta y golpeaba el suelo con la cola cada vez que Matt miraba en su dirección.

Slade desabrochó la brida de su caballo, El General, y éste apretó el pecho de Slade con su gran cabeza. Slade acarició a la bestia mientras hablaba.

—No creo que Randi planeara liarse con Donahue —dijo. Los hermanos llevaban todo el día discutiendo la situación de su hermana, con la esperanza de hallar respuestas.

—¡El tipo estaba casado! Apuesto a que Patsy armó una buena cuando se enteró. Se exaltaba con facilidad. Nunca le gustó Randi desde que ésta la ganó en aquella competición cuando estaban en el instituto.

–¿Qué competición? –preguntó Slade mientras daba de comer grano a su caballo.

–No recuerdo. Yo no estaba allí, pero papá me lo contó una vez. Era una prueba de montar a caballo, sí. Randi venció a Patsy y ésta le hizo algo a Randi en la escuela a la semana siguiente.

–¿Ésa no fue Patsy Ellis? Dios, pero si hasta creo que estuvo colada por mí una vez.

–Siempre crees que todas las mujeres están coladas por ti.

–No se lo digas a Jaime.

–Vale –Matt estaba dando de comer a Rojo. Afortunadamente el caballo estaba más interesado en la comida que en morderle–. Ése era su nombre de soltera. Después de la escuela se casó con Ned Lefever. Unos años más tarde se divorciaron y poco después empezó con Donahue y se casaron. Le debió enfurecer mucho que su marido la engañase con una vieja rival.

–Una mujer engañada –murmuró Slade en el momento en que la puerta del establo se abría y apareció Kelly, los ojos muy abiertos y las mejillas rojas. Harold dio un ladrido.

–Shh –lo reprendió Kelly, aunque se agachó para acariciarle la cabeza al viejo perro. La nieve se estaba derritiendo sobre su cara. Para Matt, era la mujer más sexy y dulce de la tierra–. Acabo de recibir una llamada de Striker –anunció casi sin aliento al tiempo que se enderezaba–. Randi y él vienen de camino y ¿sabéis una cosa? Piensan que Patsy Donahue está detrás de todo.

Matt y Slade intercambiaron miradas.

–Acabo de hablar con Espinoza, y la policía está buscándola para hacerle unas preguntas. También he llamado a la ex novia de Charlie Caldwell y adivinad quién le dio las llaves de la furgoneta marrón, marca Ford, que sacó a Randi fuera de la carretera: la buena de Patsy.

–Tu marido y yo habíamos llegado a la misma conclusión –dijo Slade.

–No puede ser.

–Es verdad –dijo Matt.

–Estupendo. Ya podéis ser detectives privados y montar vuestra propia agencia.

–¿No me merezco un beso por haber sido tan inteligente? –dijo Matt saliendo del compartimento de Rojo.

–¿Si eres tan inteligente por qué no se te ocurrió la idea hace meses para ahorrarnos toda la angustia? No hay beso, McCafferty –dijo ella guiñándole un ojo–. Además, ya sabía que eras inteligente cuando me casé contigo.

–¿Y guapo y sexy? –preguntó él mientras oía cómo su hermano se reía desde el compartimento de El General.

–Eran los requisitos mínimos –bromeó ella. Matt le dio un beso en la frente y le acarició la barriga en la que estaba creciendo su primer hijo–. Vamos, guapo y sexy vaquero –dijo ella tirándole de las trabillas de los vaqueros.

–Ya voy –dijo Slade.

–Creo que habla conmigo –dijo Matt mirando a su hermano como si fuera a comérselo.

–Los dos –insistió Kelly–. Vamos a ver qué tiene para nosotros Patsy Donahue.

–Creo que sería mejor que le dejaras eso a la policía –dijo Matt.

–Yo era policía, ¿recuerdas?

–Sí, pero ahora eres mi mujer, estás embarazada de mi hijo y Patsy puede ser peligrosa.

–No tengo miedo.

–Habla como una McCafferty –dijo Slade asegurándose de que el cerrojo del abrevadero estaba echado–. Pero tal vez deberías dejárselo a los hermanos McCafferty.

–Ni en sueños, chicos –Kelly se ajustó el pañuelo que llevaba al cuello y salió a la nieve de Montana. No lejos del establo quedaban los restos de lo que había sido el establo, ahora reducido a madera quemada y cenizas en su mayoría, en contraste con el manto blanco que lo cubría todo–. Escucha, he estado metida en esto desde el principio. Patsy Donahue es mía –dijo Kelly lanzándole una mirada de determinación a su marido.

Kurt cerró el móvil. Se dirigían a la frontera con Montana desde el este de Idaho. Estaba anocheciendo rápidamente, no había luna ni estrellas entre las gruesas nubes que cubrían las montañas.

–Era Kelly. Espinoza, tus hermanos y ella han ido a casa de Patsy Donahue.

–Deja que lo adivine –dijo Randi ajustándose la cremallera de la chaqueta–. No está en casa.

–Lleva días sin aparecer por allí, a juzgar por el correo acumulado en el buzón.

–Estupendo –dijo Randi descorazonada. Era increíble pensar que una mujer pudiera causar tanto daño y estar tan desesperada. ¿Tanto la odiaba como para querer matarla a ella y a su hijo, incluso hacer daño a sus hermanos?–. Hay algo que no encaja –continuó Randi mientras se giraba para comprobar el estado de Joshua. El bebé se estaba quedando dormido acunado por el movimiento del coche y el sonido del motor–. ¿Por qué lo del rancho? Si tenía algo contra mí, por qué hacer daño a mis hermanos.

–Tal como yo lo veo, lo del avión de Thorne fue un accidente. Patsy no está involucrada en eso, pero los ataques hacia ti eran personales y el fuego en el establo era una forma de asustarte, de mantenerte aterrorizada.

–Bien, pues funcionó. Slade casi pierde la vida y el ganado… Santo Dios, ¿por qué puso a los animales en peligro también? –se mordió el labio y miró los copos de nieve que caían lentamente del negro cielo.

–Estaba furiosa. No sólo contigo sino con toda tu familia. Probablemente porque no tiene una. Además, tú eres la dueña de la mayor parte del rancho. Debió pensar que si le hacía daño y también a tus hermanos, te haría daño a ti –Striker echó un vistazo al retrovisor–. Me siento como un tonto por no haberme dado cuenta antes.

–Nadie lo hizo –admitió ella–. ¿Qué pasará entonces con Sam?

–Está siendo interrogado. Que no fuera responsable del daño directamente no significa que no sea un criminal. Si tú testificas contra él por sus abusos con los animales, las apuestas ilegales en los rodeos, tendremos un principio para llevarlo ante la justicia. Ni que decir que las autoridades indagarán ahora que están sobre la pista.

–Por supuesto que testificaré.

–No será fácil. Estará sentado en el banquillo de los acusados mirándote, escuchando cada una de tus palabras.

–Sé cómo funciona –respondió ella, pero después suavizó el tono al pasar a través de un pequeño pueblo con aserradero en el que se veían algunas ventanas iluminadas–. Pero la verdad, es la verdad –continuó Randi–, no importa quién esté escuchando. Créeme, ya no siento nada por

Sam Donahue. Habría llevado todas las pruebas que conseguí a la comisión para rodeos y las autoridades de no ser por el accidente que me tuvo hospitalizada –se reclinó sobre el asiento mientras el coche seguía avanzando–. Estaba preocupada. Me preguntaba cómo me iba a enfrentar al padre de Joshua, pero ya no me preocupa. Ahora sé que puedo hacerlo. Tal como yo lo veo, Sam Donahue fue un donante de esperma que me ayudó a crear a mi hijo. Hace falta mucho más para ser un padre.

El bebé empezó a toser y Randi se giró. Kurt también se dio la vuelta. La carita de Joshua estaba muy enrojecida y tenía los ojos vidriosos.

–¿Cuánto queda para Grand Hope? –preguntó Randi angustiada.

–Unas ocho o nueve horas.

–Estoy preocupada por él.

–Yo también –admitió Kurt mirando hacia la carretera.

–Dame el móvil –dijo Randi. No podía soportarlo ni un minuto más. Joshua estaba empeorando y su preocupación por él la impedía reaccionar. Kurt hizo lo que le pedía y ella marcó el número del rancho.

–Diga –la voz de Juanita la recibió.

–Juanita, soy Randi.

–Señorita Randi. ¡Válgame el cielo! ¿Dónde está? ¿Y el niño? ¿Cómo está?

–Por eso llamo. Estamos de camino hacia el rancho, pero Joshua tiene fiebre y estoy preocupada. ¿Está Nicole?

–No. Está con su hermano en su nueva casa, hablando con el constructor.

–¿Tienes el número de su busca?

–¡Sí! –dijo Juanita regresando al momento con

el número del busca y el móvil de Thorne–. Lláme-
los ahora, y mantenga al niño caliente.

Randi llamó a Thorne e insistió en hablar con su
mujer. Nicole había admitido a Randi en el hospital
después del accidente y con la ayuda del doctor Arnold, un pediatra del hospital, había cuidado de
Joshua mientras ella estuvo en coma.

–Dale líquidos, vigila su temperatura y mantenlo
caliente. Llamaré a Gus Arnold. Sigue siendo tu pediatra, ¿no?

–Sí.

–Entonces estás en buenas manos. Gus es el mejor. Me aseguraré de que él o alguno de sus colegas
nos reciba en el hospital. ¿Cuándo crees que llega-
réis?

–Kurt dice que ocho o nueve horas. Te llamaré
cuando estemos más cerca.

–Estaré allí –dijo Nicole para tranquilizarla y
Randi se lo agradeció de veras–. ¿Cómo estás tú?

–Bien –dijo Randi–. Ansiosa por llegar.

–Te creo. ¿Qué…? –su voz se diluyó un poco
mientras volvía la cabeza–. Escucha, Randi, tu hermano se muere por hablar contigo. Tranquilízalo,
¿vale?

–Claro.

–¿Randi? –la voz de Thorne invadió la línea y
Randi se sintió desvanecer y con ganas de llorar–.
¿Qué demonios pasa? –preguntó–. Kelly parece
convencida de que Patsy Donahue es la culpable.

–Eso parece.

–Y ahora Patsy ha desaparecido. ¿Por qué demonios Striker no la ha encontrado?

–Porque está cuidando de mí –dijo Randi, a la
defensiva de pronto. Nadie podía echarle la culpa a
Kurt, ni siquiera sus hermanos. Lo miró con el rabi-

llo del ojo y vio que a éste se le crispaba el rostro, apretando el volante con más fuerza aún–. Tiene a alguien trabajando en ello.

–Igual que Bob Espinoza, pero nadie parece capaz de encontrarla. Es hora de llamar al FBI, la CIA y la policía estatal.

–La encontrarán –dijo Randi tratando de tranquilizarlo aunque ella misma dudaba de sus palabras–. Es sólo cuestión de tiempo.

–No lo pronto que yo desearía –dijo él y a continuación hizo una pausa–. ¿Cómo está J. R.?

–Joshua tiene un poco de fiebre porque se ha resfriado. He quedado con Nicole en el hospital.

–Yo también estaré.

–¿Tú? ¿Un ejecutivo importante? ¿No tienes mejores cosas que hacer? –bromeó ella y él se rió.

–Sí bueno, ahora mismo estoy discutiendo sobre el tipo de inodoro que irá en la casa nueva. Créeme, es una decisión muy importante. Nicole piensa en uno de ésos que ahorran agua, pero yo creo que deberíamos poner uno normal.

–Creo que ya he escuchado bastante –dijo Randi riéndose. Parte de la tensión había cedido.

–Y yo también. Aún no hemos empezado con los colores. Yo creo que todo blanco.

–Qué sorpresa. Conservador.

–Bueno, está demasiado oscuro y hace demasiado frío para tomar decisiones esta noche. Es lo que ocurre cuando estás casado con un doctor que trabaja sesenta y setenta horas a la semana y encima la hacen demorarse en el hospital.

–Pobrecito –se burló Randi.

–Vaya, creo que me necesitan –dijo–. Creo que… voy a comprobar… te veré dentro de unas horas…

–¿Thorne? ¿Estás ahí? –¡No te oigo!

–¿Randi? –la voz de Thorne resonó de nuevo.

–¿Sí?

–Me alegro de que vuelvas a casa.

–Yo también –dijo ella, la emoción en la garganta imaginándose a su hermano mayor, pelo oscuro y ojos grises–. Dale un beso a… –pero la conexión se perdió al entrar en las montañas.

–Quiere saber por qué no he seguido la pista de Patsy –dijo Kurt sin emoción alguna.

–Quería saber por qué nadie ha conseguido encontrarla aún. Tu nombre surgió, sí, pero también el del detective Espinoza, y todas las agencias gubernamentales. Tienes que saber algo de Thorne. Él da una orden y espera que lo obedezcan inmediatamente, lo que es imposible.

–Aun así, estoy con él –dijo Kurt–. Cuanto antes encontremos a Patsy Donahue, mejor.

Randi quería estar de acuerdo con él pero otra parte dudaba porque sabía que cuando eso ocurriera, Kurt se marcharía. Saldría para siempre de su vida. Su corazón dio un vuelco y se preguntó cómo podría dejarlo ir. Era estúpido, realmente. No hacía más de un mes que lo conocía, pero sólo una semana con más intensidad.

Aun así lo echaría de menos.

Más de lo que habría creído posible.

Sintió un escalofrío.

–¿Tienes frío? –preguntó Kurt ajustando la calefacción.

–Estoy bien –pero era mentira y ambos lo sabían. Cada vez que un vehículo se aproximaba, Randi se ponía tensa, esperando que el coche tratara de echarlos de la carretera. Rezó en silencio para llegar lo antes posible a Grand Hope sin incidentes y que su hijo se recuperara y que Kurt Striker se quedara con ella para siempre. Por mucho que intentara negar lo evidente, se había enamorado de ese hombre.

Patsy tamborileó con la mano enguantada sobre el volante del todoterreno robado que había mantenido aparcado durante horas en un bar en la carretera nacional de Idaho. Nadie podría relacionarla con el robo. Había dejado su furgoneta en una carretera poco frecuentada cerca de Dallas, allí había tomado un autobús y había viajado en él hasta que se detuvo. Allí encontró el coche todorreno y le cambió la matrícula por una que había tomado en Seattle. Para cuando ataran todos los cabos sería demasiado tarde. Iba detrás de la camioneta de Striker, probablemente a una hora de distancia, pero suponía que podría acortar distancias. Le llevaría tiempo, pero finalmente atraparía a la zorra y entonces pagaría. Al amanecer completaría su misión. Randi McCafferty y el estúpido que la acompañaba estarían muertos.

Capítulo Trece

El niño no dejaba de llorar. Nada lo calmaba y Striker se sentía impotente. Conducía lo más rápidamente que se atrevía mientras Randi, girada en el asiento, trataba de que Joshua comiera algo, pero el niño no quería.

Striker apretó los dientes y deseó que la fiebre no hubiera aumentado. Pensó en el dolor de perder a un hijo y sabía que tenía que hacer algo, lo que fuera, para evitar que le pasara lo mismo a Randi con su hijo. Apretó el acelerador, pero la carretera se había vuelto difícil, el terreno era escarpado al internarse en las montañas de Montana.

–Sigue estando templado ——dijo Randi tocándole la mejilla.

–Llegaremos en menos de una hora –le aseguró Striker–. Mantenlo así.

–Ojalá pueda –dijo ella en un susurro desesperado que le rompió el corazón a Striker.

–Creo que es mejor que llore a que esté callado –dijo Striker, consciente de que no era gran consuelo.

–Supongo. Tal vez deberíamos detenernos y buscar un centro médico.

–¿Entre los pueblos que hay por aquí? ¿A las tres de la madrugada? St. James es el hospital más cercano. Llama a Nicole y dile que estaremos allí en cuarenta y cinco minutos.

–Está bien –dijo ella tomando el teléfono de Striker y éste miró hacia el retrovisor. Unas luces se les estaban acercando peligrosamente aun cuando él iba bastante rápido, pero las curvas lo obligaban a reducir a la mitad su velocidad. El vehículo tomaba las curvas a gran velocidad no obstante.

–Espera –dijo.

–¿Qué?

–Tengo un coche detrás que viene muy rápidamente. Será mejor que deje que me adelante –y echándose hacia un lado de la carretera vio cómo el coche pasó a toda velocidad, un coche de color oscuro y llantas relucientes.

Kurt volvió a la carretera y tomó una curva demasiado rápido y las ruedas chirriaron, así que disminuyó la velocidad un poco. Al pasar por una carretera más pequeña le pareció ver un coche oscuro. Parecía tener las luces apagadas y pensó si sería el idiota que los había adelantado. Sintió que el vello de la nuca.

Estaba demasiado oscuro para estar seguro y se dijo que estaba empezando a sentirse paranoico. Nadie en sus cabales se quedaría sentado dentro de un coche en medio de la oscuridad. Nadie en sus cabales pero ¿qué haría una mujer sin control de sus facultades, una mujer decidida a vengarse, una mujer como Patsy Donahue?

«No puede ser, Striker. Estás cansado y te parece ver cosas en las sombras. Eso es todo».

–¿Qué? –preguntó Randi notando la aprensión que se había apoderado de Kurt. El bebé seguía llorando pero más suavemente. La carretera era escarpada y llena de curvas y tenía que reducir la velocidad para no salirse del camino.

–Mira detrás. ¿Ves algo?

Randi se giró y miró por la luna trasera.

–No. ¿Por qué?

–Creo que vi algo antes. Una sombra –dijo él frunciendo el ceño.

–¿Una sombra?

–La sombra de un coche. Pensé que alguien podía estar siguiéndonos sin luces delanteras.

–¿En esta carretera? ¿A oscuras? –preguntó ella, pero al momento aguantó la respiración y miró por la luna trasera.

–No veo nada.

–Bien –dijo él un poco aliviado. Aquél sería el peor lugar para encontrarse con el peligro. La carretera apenas tiene dos carriles. A un lado se levantaba la montaña y al otro el vacío con un pequeño quitamiedos.

Randi no dejaba de mirar hacia atrás, a la oscuridad, los nudillos blancos de apretar el asiento. A Kurt empezaron a sudarle las manos sobre el volante aunque no dejaba de decirse que estarían bien. Sólo les quedaban unos kilómetros para llegar. Pensó en cómo se había ido enamorando de Randi McCafferty en las últimas semanas. La miró y su corazón rebosó amor por ella. No podía imaginar la vida sin ella o sin Joshua. Había roto el pacto que había hecho consigo mismo tras la muerte de Heather de no volver a acercarse a una mujer o a un niño en toda su vida. Y era demasiado tarde para echarse atrás. Su corazón no se lo permitiría. Tal vez era hora de decírselo a Randi, de ser sincero con ella, de hacerle saber lo que sentía.

«¿Por qué? Vamos, Striker, ¿cómo eres tan necio de creer que ella está enamorada de ti? ¿Y qué me dices del niño? ¿No habías renegado de la paternidad? ¿Cómo se te ocurre pensar en volver a ser padre?»

Los argumentos iban y venían por su mente. Sin embargo tenía que decírselo.

147

—¿Randi?

—¿Qué? —dijo ella que seguía mirando hacia atrás.

—Sobre lo ocurrido estas noches pasadas…

—Por favor —dijo ella sin atreverse a mirarlo—. No tienes que darme explicaciones. Ninguno de los dos lo planeó.

—Pero deberías saber lo que siento.

—Tal vez no quiera saberlo —dijo ella notando la tensión en la voz de Kurt—. Oh, Dios mío, ¡no!

—¿Qué?

—Creo que… creo que hay alguien ahí detrás. No creerás que…

—Demonios —dijo él mirando el retrovisor. Vio la sombra de un vehículo oscuro sin luces, conduciendo a ciegas, sin importarle el carril de la carretera por el que iba. Apretó el acelerador—. Vigílalo y llama a la policía.

Ella hizo lo que le pedía y marcó el número pero nada.

—Maldita sea. No da señal —dijo tras intentarlo de nuevo. El bebé seguía llorando.

—Sigue intentándolo —dijo Kurt tomando una curva muy rápido haciendo que el coche se balanceara ligeramente—. Maldita sea.

—¡Se está acercando!

Kurt vio claramente el vehículo, acercándose peligrosamente mientras las ruedas de ambos rechinaban en las curvas.

—Maldita sea.

—¿Crees que es Patsy?

—A menos que sea algún otro loco.

—Oh, Dios… —la voz de Randi era de absoluto terror—. ¿Qué pretende?

—No lo sé —dijo él pero sólo podía pensar en el

accidente en el que Randi se había salido de la carretera.

Randi volvió a marcar el número de la policía.

—Ya da señal. ¿Dónde estamos? Tengo que decirles donde estamos... oh, no, he perdido la señal otra vez.

—¡Marca de nuevo! —ordenó Kurt. Una señal avisaba de una bajada muy pendiente.

—Tal vez deberías reducir la velocidad. Obligarla a reducir a ella también.

—¿Y qué me dices si tiene un arma?

—¿Un arma?

El vehículo encendió las luces de pronto y pareció aumentar la velocidad. Kurt se pegó al carril izquierdo junto a la pared. El otro coche se les echó encima.

Una curva cerrada. Una señal de velocidad máxima de 40 km. La aguja del velocímetro marcaba 85. Kurt redujo, pisó los frenos y tomó la curva.

El coche perseguidor no cedió.

—Se está acercando más —gritó Randi mientras marcaba de nuevo.

¡Bum!

El morro del coche perseguidor los golpeó con fuerza y Kurt tomó un bache. El todoterreno se tambaleó, acercándose peligrosamente al quitamiedos, las ruedas rebotando en los baches que llenaban la carretera. Kurt salió de los baches y recuperó el equilibrio. El corazón le latía con fuerza. ¡No podía perder a Randi y a su hijo!

—¡Oiga! ¡Oiga! Es una emergencia —gritó Randi en el teléfono—. Alguien trata de matarnos. Estamos en la carretera nacional del norte de Montana —dijo Randi y la conexión pareció perderse justo después de decirle las coordenadas aproximadas.

¡Bum!

Otro golpe desde atrás. La rueda delantera pisó una placa de hielo y el coche comenzó a dar vueltas. Kurt luchó por recuperar la dirección, vio el quitamiedos y el vacío negro que se abría al otro lado. Apretando los dientes, trató de mantener el coche en la carretera, sintió el guardabarros golpeando la barrera de acero y oyó el terrible ruido del metal rasgándose. Pero por encima del desagradable sonido, escuchó el llanto de Joshua y el grito de pavor de Randi.

–Vamos, vamos –dijo Kurt con los dientes apretados rezando para que el coche se quedara en el suelo, los hombros le dolían por la tensión. No podía perder a la mujer que amaba, ni a su hijo. No de esa manera.

–¡Dios mío, cuidado! –gritó Randi, pero era demasiado tarde. El vehículo agresor los golpeó de lleno en el lateral del copiloto. El ruido del choque fue terrorífico. Kurt apretó los dedos sobre el volante, pero el vehículo no respondía. Los dos vehículos estaban unidos y descendieron por la carretera a toda velocidad. Los árboles y la oscuridad pasaban por la ventana como una película a cámara rápida.

Randi gritaba.

El bebé lloraba.

Kurt no dejaba de maldecir. Los dos coches tomaban más y más velocidad, de un lado a otro de la carretera, hasta chocarse de nuevo con el quitamiedos con la fuerza suficiente para salir despedidos hacia el negro vacío que se abría tras éste.

En algún sitio, sonaba un timbre, a volumen constante. Era irritante. A Randi le dolía la cabeza, sentía como si le hubieran dado una paliza, tenía un horrible sabor en la boca y... Abrió un ojo y parpadeó rápidamente. Todo era blanco y cegador.

–¿Randi? ¿Me escuchas? –alguien estaba iluminándole los ojos con una luz. Era una voz de mujer. Una voz familiar. Randi cerró los ojos. Quería dormir. Estaba en una cama con raíles a los lados... una cama de hospital. Se preguntó cómo habría llegado hasta allí. Recordaba vagamente el olor a goma quemada y a pino... Había luces rojas y azules, y toda su familia estaba allí, a su alrededor. También recordaba a Kurt, inclinado sobre ella, diciéndole que la quería, la cara magullada y sangrante. ¿O habría sido un sueño? Kurt... ¿dónde estaba? Y su bebé... Joshua. Abrió los ojos de golpe al recordar a su hijo.

–¿Jo... Joshua?

–El bebé está bien.

Todo estaba borroso, pero finalmente logró enfocar la visión y vio a Nicole en la habitación. Otro doctor la examinaba, pero ella miraba a su cuñada. Recuerdos de la horrible noche la asaltaron.

–Joshua está en casa –añadió–. Con Juanita. Tan pronto como salgas de aquí, te reunirás con él.

Dejó escapar el aire contenido, aliviada al oír que su niño estaba bien.

–Tienes suerte –dijo el doctor y Nicole asintió con la cabeza.

–¿Kurt? –acertó a decir. Tenía la garganta seca y su voz fue apenas un susurro.

–Él también está bien.

Dio gracias a Dios. Giró la cabeza lentamente y miró en derredor. Vio que le habían conectado un goteo, un monitor mostraba los latidos de su corazón, de donde provenía el pitido que había oído al despertar. Las flores llenaban varios jarrones sobre el alfeizar de la ventana.

–Quiero… quiero… mi bebé… y… y Striker.

–Llevas dos días en el hospital, Randi –dijo Nicole–. Has sufrido una conmoción y tienes la muñeca rota. J. R., quiero decir, Joshua, estaba resfriado pero no sufrió daños en el accidente. Afortunadamente había una ambulancia a quince minutos del lugar del siniestro. La policía escuchó tu mensaje y llegaron allí rápidamente.

–¿Dónde está Kurt?

–Se ha ido –Nicole se aclaró la garganta antes de decirlo.

Randi se sintió desfallecer. Kurt se había ido. El dolor que sentía se acrecentó.

–Se hizo daño en un ojo y se dislocó un hombro.

–Y se ha ido.

Nicole frunció el ceño.

–Sí. Sé que ha ido a Seattle a ver a un especialista.

–¿Es grave? –dijo Randi forzándose a hablar.

–No lo sé.

–¿Ha quedado ciego?

–De verdad que no lo sé, Randi.

Notó que su cuñada le ocultaba algo.

–No va a volver, ¿verdad?

–No estoy muy segura, pero como no vas a parar, yo diría que no. Thorne y él tuvieron una conversación. Y ahora, sigue el consejo del médico y descansa. Tienes un hijo que te espera en el rancho y tres hermanos ansiosos por que vuelvas –Nicole le apretó la mano con cariño y Randi cerró los ojos. Al menos había sobrevivido.

–¿Qué me dices de Patsy? –preguntó.

–Está detenida. Tuvo suerte y salió indemne.

–Realmente necesitas descansar –dijo el médico.

–De eso nada –dijo Randi buscando el botón

para elevar el cabecero de la cama–. Quiero salir de aquí y ver a mi hijo y... –un dolor acuciante la golpeó en el cerebro y se dejó caer sobre la almohada–. Tal vez tengas razón –admitió. Tenía que ponerse bien por su hijo. Y por Kurt. Le dolía el alma de pensar en no volver a verlo. Se negaba a dejarlo escapar, ¿o tendría que hacerlo?

Tres días después salió del hospital y se reunió con su familia. Joshua estaba sano otra vez y era un placer volver a tenerlo en sus brazos y oler su aroma de bebé recién lavado. Juanita estaba en su salsa, con Randi y el bebé, diciendo a sus hermanos que se fueran y dirigiendo la casa.

Larry Todd parecía haber perdonado a Randi por echarlo aunque insistía en que quería un contrato firmado. Incluso Bill Withers, tras oír lo que le había ocurrido, había consentido en que hiciera el trabajo desde Montana.

El olor a chocolate y goffres provenientes de la cocina despertaron su apetito. Aunque Matt y Slade no estaban en casa, localizó a Thorne en su despacho. Estaba delante del ordenador, con una taza de café por compañía. A Randi no le importaba lo que estuviera haciendo. Podía interrumpirlo.

–He oído que tuviste unas palabras con Striker –dijo Randi. Todavía estaba recibiendo medicación, pero se sentía lo suficientemente fuerte para plantarse en el despacho de su hermano en bata y zapatillas.

–Has oído bien –dijo su hermano mirándola con una sonrisa.

–Le echaste la culpa de lo que nos ocurrió a Joshua y a mí.

–Puede que me mostrara un poco duro con él –admitió su hermano con desacostumbrada ecuanimidad.

–No tenías derecho, lo sabes. Hizo todo lo que pudo.

–Y no fue suficiente. Casi te matan y también a Joshua.

–Pero sobrevivimos. Y fue gracias a Kurt.

–Ya me lo figuraba –dijo su hermano sonriendo.

–¿De veras?

–Sí –dijo él y abriendo un cajón sacó un cheque roto en dos pedazos–. Striker no quiso aceptar el dinero. Se sentía mal por lo que había ocurrido.

–Y tú lo empeoraste.

–No –dijo él reclinándose sobre el respaldo de la silla y la miró–. Vale, es cierto. Pero he cambiado de opinión.

–¿Qué bien puede hacer eso?

–Mucho –dijo él.

–Estás tramando algo –acusó Randi con los ojos entornados.

–Estoy arreglando el estropicio.

–Suena muy mal.

–Pues yo no lo creo –dijo él mirando por la ventana y Randi escuchó entonces el motor de un coche–. Tus hermanos están de vuelta.

–¿Habían salido?

–Mmm. Vamos –dijo él levantándose y caminando con ella hasta la puerta principal. Randi miró por la ventana y vio a Matt y a Slade saliendo de su Jeep. Pero había otro hombre con ellos y el pulso se le aceleró al reconocer a Kurt. El corazón se le salía del pecho. Abrió la puerta de golpe y a punto estuvo de tropezar con Harold que estaba tumbado en el porche.

–Espera –gritó Thorne, pero ella ya iba corriendo

por el camino cubierto de nieve con la única protección de sus zapatillas y el camisón flotando en el frío aire del invierno.

—¡Kurt! —gritó y sólo entonces se fijó en el parche que le cubría un ojo. Kurt se volvió y sonrió. Sin pensar, Randi se lanzó a sus brazos.

—Dios, cómo te he echado de menos —le susurró al oído y sintió que las lágrimas llenaban sus ojos. Tenía todo el rostro magullado y el ojo bueno estaba hinchado—. ¿Por qué te fuiste?

—Pensé que era lo mejor —dijo él con voz áspera. Sincera. Le cubrió los hombros con un brazo fuerte y firme.

—Pues pensaste mal —dijo ella besándolo con fuerza sintiendo que la boca de él se amoldaba a la suya, su cuerpo flexible contra el de ella. Cuando finalmente Kurt le levantó la cabeza, estaba sonriendo.

—Eso es lo que dijeron tus hermanos —dijo él mirando a Thorne que había salido tras Randi. Se puso ligeramente rígido.

—Me alegro de que hayas vuelto —dijo Thorne—. Cometí un error.

—¿Qué? ¿Tú, pidiendo disculpas? —Randi, aún en brazos de Kurt, miraba a su hermano—. Habrá que marcar este día en el calendario —dijo Randi a Kurt—. Thorne McCafferty nunca, y repito, nunca, ha admitido estar equivocado.

—Cierto —dijo Matt.

—Muy cierto —asintió Slade.

—¿Te quedarás? —preguntó a Striker, la mandíbula apretada.

—Ya veremos. Te lo diré enseguida —dijo Kurt mirando a los tres hermanos que de pronto encontraron algún motivo para entrar en la casa.

–Hace frío y estás herido… –empezó a decir Randi.

–Entonces iré al grano –dijo él tocándole la muñeca–. Randi McCafferty, ¿quieres casarte conmigo?

–¿Qu-qué?

–Ya lo has oído. Desde que te conocí… y a ese niño tuyo, la vida no ha sido igual.

–No puedo creerlo –dijo ella con voz entrecortada.

–Créeme, Randi.

Randi sintió que el corazón se le encogía y las lágrimas inundaban sus ojos.

–Cásate conmigo –repitió él.

–¡Sí! ¡Sí! ¡Sí! –dijo ella rodeándolo con su brazo sano y susurrándole que no lo dejaría escapar.

JAZMIN

LIZ FIELDING

Para protegerte y amarte

Una esposa de conveniencia... y un amor inconveniente

En cuanto Francesca Lang entró en la habitación, Guy Dymoke se quedó completamente cautivado. El problema era que estaba embarazada del hermano de Guy... por lo que él había tenido que ocultar sus sentimientos desde entonces.

Pero ahora Francesca estaba viuda y, de acuerdo con el testamento de su difunto marido, había quedado al cuidado de Guy... ¡y debía casarse con él! Guy estaba deseando darles a Francesca y a su hijo todo el amor del mundo; pero también necesitaba decirle cuánto la quería. Sin embargo, decidió esperar a que ella también lo amara.

Nº 7-18

¡YA EN TU PUNTO DE VENTA!

BIANCA®

Quería que fuera su amante... ¿pero querría también tener un hijo con ella?

Tara llevaba un año saliendo con el magnate australiano Max Richmond y vivía para aquellos momentos robados en los que disfrutaba de su compañía; ya fuera en una cena o en la cama. Pero últimamente había empezado a plantearse que quizá Max no tuviera la intención de formar una familia... Parecía satisfecho con la idea de que Tara no fuera nada más que su amante.

Tara amaba a Max por cómo era, no por los regalos que le hacía ni por la vida sofisticada que llevaba cuando estaba con él, ni siquiera por el modo en que hacían el amor. Pero ahora que acababa de descubrir que se había quedado embarazada, se preguntaba si debía marcharse. De lo que estaba segura era de que en la vida de Max no había sitio para una amante embarazada.

La amante del magnate
Miranda Lee

LA AMANTE DEL MAGNATE
Miranda Lee

Nº 6-56

¡YA EN TU PUNTO DE VENTA!

Julia ®

Cuando volvió a Santa Fe, el ex negociador de rehenes Jake Galeno no tenía previsto acabar en la puerta de la casa de Tori Phillips. Ella era aún más atractiva de lo que Jake la recordaba... y la química que había habido entre ellos seguía existiendo como si no hubieran pasado los años.

El duro y guapísimo Jake tenía el poder de cortarle la respiración, igual que lo había hecho durante el baile de graduación. Pero Tori estaba a punto de adoptar a un niño ella sola y en su vida no había espacio para otro hombre...

Abre tu corazón
Karen Rose Smith

KAREN ROSE SMITH

Abre tu corazón

¿Cómo podría tener otro romance con un hombre que la había dejado tan marcada?

N° 6-8

¡YA EN TU PUNTO DE VENTA!

Al calor del deseo ◀

EL TÍTULO

Cuando Trey Marbury recibió aquel erótico anónimo, sabía que sólo una mujer podría haber escrito algo así, Libby Parrish. De adolescentes, Libby y él se habían ido a bañar desnudos para escapar del calor de Carolina del Sur... pero habían acabado generando mucho más calor con la pasión de sus cuerpos. Doce años más tarde, a Trey le preocupaba cómo reaccionaría ella ante su regreso. Pero, a juzgar por aquella nota, Libby parecía dispuesta a retomar las cosas donde las habían dejado...

KATE HOFFMANN

LA AUTORA ▲

SUPER
BIANCA ®

LOS PROTAGONISTAS ▶

N° 181

LAS CARTAS QUE HABÍAN DESATADO SU PASIÓN... NO LAS HABÍAN ESCRITO ELLOS

¡YA EN TU PUNTO DE VENTA!